Hawaiian DEVOTIONAL

Select Bible Verses

from

Ka Baibala Hemolele

Verses in Hawaiian and English

to Inspire, Support, Comfort, Encourage, and Teach

Hawaiian DEVOTIONAL

Select Bible Verses

from

Ka Baibala Hemolele

Verses in Hawaiian and English

to Inspire, Support, Comfort, Encourage, and Teach

Translated from the Original Languages

ʻŌLELO HAWAIʻI | ʻŌLELO BERETANIA
HAWAIIAN | ENGLISH

NEW AMERICAN STANDARD BIBLE

Mutual Publishing

Partners in Development Foundation
2040 Bachelot Street
Honolulu, HI 96817
Phone: (808) 595-2752
Fax: (808) 595-4932
Email: pid@pidfoundation.org
www.pidfoundation.org
www.baibala.org

ISBN: 978-1-949307-28-3
First Printing, October 2021
Design and layout by Jane Gillespie
Cover image © Satori13 | Dreamstime.com

Mutual Publishing, LLC
1215 Center Street, Suite 210
Honolulu, Hawai'i 96816
Ph: (808) 732-1709
Fax: (808) 734-4094
Email: info@mutualpublishing.com
www.mutualpublishing.com

Printed in South Korea

Contents

Foreword

Ua Mau ke Ea o ka ʻĀina i ka Pono—
The life of the land is perpetuated in righteousness.

—Kamehameha III

Life has become challenging for all of us. The Covid-19 2020 pandemic changed the world and reframed the problems we face, the issues we deal with at work, our relationships with our families and friends, and how we allocate our time. For most of us, there are more stresses in life.

How do we deal with these sudden changes? How do we cope? How do we keep our canoe sailing safely and smoothly over the varying seas of life?

The Swiss writer Henri-Frédéric Amiel tells us the time is short to gladden the hearts of those with whom we walk, that we should live more mercifully and fully, be swift to love, and make haste to be kind.

Not surprisingly, answers are close at hand—the Bible. The good book has always guided us in how to live and its wisdom is as valued today as ever to deal with the uncertainty, division, and insecurity we all face.

If you are reading this you are probably looking forward to some inspiration, guidance, comfort, and hope. I'm sure the easy reference format with devotional topics will be of use as you peruse and ponder.

Herein you will not only find English scripture verses but also the Olelo Hawaii or Hawaiian language translation of those verses. Please be encouraged to study and appreciate the beautiful translation work of the early translators of the 1820s.

I have collected my favorite verses, the ones that have helped me the most. I want to share them with you, hoping they will bring you the comfort and solace that I received from them. Of course many more verses can be found from the deep well of the good book.

Remember, the Lord is with us, always ready to guide us. Go in peace to love and serve the Lord!

—Dr. Kahu Kaleo Patterson

Love—I Corinthians 13:13
"And now abide faith, hope, and love and the greatest of these is love." (NKJV)

13 Ke mau nei kēia mau mea ʻekolu, ʻo ka manaʻoʻiʻo, ʻo ka manaʻolana, a me ke aloha.O ke aloha naʻe kai ʻoi o kēia mau mea. (Baibala Hemolele)

Accomplishment
Hoʻokō ʻana

I can do all things through Him who strengthens me.
—Philippians 4:13

E hiki nō iaʻu nā mea a pau, ke kōkua mai ʻo Kristo iaʻu.
—Pilipi 4:13

And do not be conformed to this world, but be transformed by the renewing of your mind, so that you may prove what the will of God is, that which is good and acceptable and perfect. **—Romans 12:2**

Mai noho ʻoukou a hoʻohālike me ko ke ao nei; akā, e hoʻopāhaʻohaʻo ʻoukou ma ke ʻano hou ʻana o ko ʻoukou naʻau, i hoʻomaopopo ʻoukou i ko ke Akua makemake, ka pono, ka hōʻoluʻolu, a me ka hemolele.
—Roma 12:2

"For nothing will be impossible with God." **—Luke 1:37**

"No ka mea, ʻaʻohe mea hiki ʻole i ke Akua." **—Luka 1:37**

"So will My word be which goes forth from My mouth;
It will not return to Me empty,
Without accomplishing what I desire,
And without succeeding *in the matter* for which I sent it."
—Isaiah 55:11

"Pēlā auane'i ka'u 'ōlelo, ka mea i puka aku, mai ko'u waha aku,
'A'ole ia e ho'i nele mai ia'u;
Akā, e hana nō ia i ka mea a'u e makemake ai,
A e ho'okō 'i'o ia i ka mea a'u e ho'ouna aku ai iā ia."
—'Isaia 55:11

How blessed is the man who does not walk in the counsel of the wicked,
Nor stand in the path of sinners,
Nor sit in the seat of scoffers! **—Psalm 1:1**

Pōmaika'i ke kanaka i hele 'ole ma ke a'o 'ia o ka po'e 'aiā,
I kū 'ole ho'i ma ka 'ao'ao o ka po'e hewa,
I noho 'ole ho'i ma ka noho o ka po'e ha'akei! **—Halelū 1:1**

"But seek first His kingdom and His righteousness, and all these things will be added to you." **—Matthew 6:33**

"Akā, e 'imi 'ē 'oukou ma mua i ke aupuni o ke Akua a me kāna pono, a e pau ua mau mea lā i ka hā'awi 'ia mai iā 'oukou." **—Mataio 6:33**

Addiction • Hei

No temptation has overtaken you but such as is common to man; and God is faithful, who will not allow you to be tempted beyond what you are able, but with the temptation will provide the way of escape also, so that you will be able to endure it. —**1 Corinthians 10:13**

ʻAʻole a ʻoukou hoʻowalewale ʻē aʻe, ʻo nā mea maoli wale nō; a he mālama nō ko ke Akua; ʻaʻole ia e kuʻu mai iā ʻoukou i ka hoʻowalewale ʻia ma kahi hiki ʻole iā ʻoukou ke kūpaʻa; akā, ke hoʻowalewale ʻia ʻoukou, e hoʻomākaukau nō kēlā i kahi e pakele ai, i hiki iā ʻoukou ke kūpaʻa. —**Korineto I 10:13**

Be of sober *spirit,* be on the alert. Your adversary, the devil, prowls around like a roaring lion, seeking someone to devour. —**1 Peter 5:8**

E kūoʻo, a e makaʻala; no ka mea, e like me ka liona uō, pēlā nō e holoholo nei ko ʻoukou ʻenemi, ʻo ka diabolō, e ʻimi ana i kāna mea e ale ai. —**Petero I 5:8**

'And do not lead us into temptation, but deliver us from evil.' **—Matthew 6:13**

'Mai hoʻokuʻu ʻoe iā mākou i ka hoʻowalewale ʻia mai; e hoʻopakele nō naʻe iā mākou i ka ʻino.' **—Mataio 6:13**

Jesus answered them, "Truly, truly, I say to you, everyone who commits sin is the slave of sin." **—John 8:34**

ʻŌlelo maila Iesū iā lākou, "ʻOiaʻiʻo, he ʻoiaʻiʻo kaʻu e ʻōlelo aku nei iā ʻoukou, ʻo ka mea e hana ana i ka hewa, he kauā ia na ka hewa." **—Ioane 8:34**

For since He Himself was tempted in that which He has suffered, He is able to come to the aid of those who are tempted. **—Hebrews 2:18**

A; no ka mea, ua ʻehaʻeha ʻo ia i ka hoʻowalewale ʻia, ua hiki nō iā ia ke kōkua i ka poʻe i hoʻowalewale ʻia mai. **—Hebera 2:18**

But I say, walk by the Spirit, and you will not carry out the desire of the flesh. **—Galatians 5:16**

Ke ʻōlelo aku nei hoʻi au, e haele ʻoukou ma ko ka ʻUhane, ʻaʻole e hoʻokō ʻoukou i ke kuko hewa o ke kino. **—Galatia 5:16**

All things are lawful for me, but not all things are profitable. All things are lawful for me, but I will not be mastered by anything. **—1 Corinthians 6:12**

Ua kū i ke kānāwai nā mea a pau na'u, 'a'ole ho'i e pono no'u nā mea a pau. Ua kū i ke kānāwai nā mea a pau na'u, 'a'ole ho'i e lanakila mai kekahi mea ma luna iho o'u. **—Korineto I 6:12**

Submit therefore to God. Resist the devil and he will flee from you. **—James 4:7**

No laila, e ho'olohe 'oukou i ke Akua; e pale aku ho'i i ka diabolō, a laila e holo aku ia mai o 'oukou aku.
—Iakobo 4:7

Wine is a mocker, strong drink a brawler,
And whoever is intoxicated by it is not wise. **—Proverbs 20:1**

He mea henehene ka waina, he wala'au nui ho'i ka mea e 'ona ai;
'O nā mea a pau i puni ma laila, 'a'ole i na'auao.
—Na Solomona 20:1

Anger • Huhū

Cease from anger and forsake wrath;
Do not fret; *it leads* only to evildoing. **—Psalm 37:8**

E waiho i ka huhū, e haʻalele hoʻi i ka inaina;
Mai nauki iki e hana hewa ai. **—Halelū 37:8**

BE ANGRY, AND *yet* DO NOT SIN; do not let the sun go down on your anger, and do not give the devil an opportunity. **—Ephesians 4:26-27**

A I HUHŪ ʻOUKOU, E AO O HEWA AUANEʻI; mai hoʻomau i ko ʻoukou inaina a napoʻo ka lā. ʻAʻole hoʻi e hāʻawi aku ʻoukou i kauwahi no ka diabolō.
—ʻEpeso 4:26-27

He who is slow to anger is better than the mighty,
And he who rules his spirit, than he who captures a city.
—Proverbs 16:32

Maikaʻi ke ahonui ma mua o ka ikaika;
A ʻo ka mea hoʻomalu i kona ʻuhane ma mua o ka mea hoʻopio i ke kūlanakauhale.
—Na Solomona 16:32

A quick-tempered man acts foolishly,
And a man of evil devices is hated. —**Proverbs 14:17**

ʻO ka hikiwawe o ka huhū, ʻo ia ka hana lapuwale;
ʻO ke kanaka ʻimi i nā manaʻo hewa, ua inaina ʻo ia.
—**Na Solomona 14:17**

You lust and do not have; *so* you commit murder. You are envious and cannot obtain; *so* you fight and quarrel. You do not have because you do not ask. —**James 4:2**

Ua kuko hoʻi ʻoukou, ʻaʻole i loaʻa; ua huāhuā aʻela ʻoukou me ka pepehi aku, ʻaʻole e hiki iā ʻoukou ke loaʻa mai; ua hakakā ʻoukou me ke kaua aku, ʻaʻole naʻe i loaʻa, no ko ʻoukou noi ʻole aku. —**Iakobo 4:2**

For His anger is but for a moment,
His favor is for a lifetime;
Weeping may last for the night,
But a shout of joy *comes* in the morning. —**Psalm 30:5**

No ka mea, hoʻokahi sekona kona huhū;
He ola nō naʻe i loko o kona lokomaikaʻi.
He uē ʻana paha i ka pō hoʻokahi;
Akā, hiki mai nō ka hauʻoli i ke kakahiaka. —**Halelū 30:5**

Be kind to one another, tender-hearted, forgiving each other, just as God in Christ also has forgiven you.
—Ephesians 4:32

E lokomaikaʻi ʻoukou i kekahi i kekahi, e aloha aku me ka naʻau, e kala ana hoʻi kekahi i kekahi, e like me kā ke Akua i kala mai ai i ko ʻoukou ma o Kristo lā.
—ʻEpeso 4:32

Be quick to hear, slow to speak *and* slow to anger; for the anger of man does not achieve the righteousness of God.
—James 1: 19-20

E hikiwawe ʻoukou ma ka lohe, e akahele hoʻi ma ka ʻōlelo ʻana aku, a e hoʻolohi hoʻi ma ka inaina aku; no ka mea, ʻo ka inaina o ke kanaka, ʻaʻole ia e hana ana i ka pono o ke Akua. **—Iakobo 1: 19-20**

But now you also, put them all aside: anger, wrath, malice, slander, *and* abusive speech from your mouth.
—Colossians 3:8

Akā, me nei ua pau iā ʻoukou i ka hemo o kēia mau mea: ʻo ka huhū, ʻo ka inaina, ʻo ka ukiuki, ʻo ka hōʻino wale, ʻo ke kamaʻilio haumia mai loko mai o ko ʻoukou waha. **—Kolosa 3:8**

Anxiety
Hopohopo • ʻŌpikipiki

Therefore humble yourselves under the mighty hand of God, that He may exalt you at the proper time, casting all your anxiety on Him, because He cares for you.
—1 Peter 5:6-7

No laila, e hoʻohaʻahaʻa ʻoukou iā ʻoukou iho ma lalo iho o ka lima mana o ke Akua, i hoʻokiʻekiʻe aʻe ʻo ia iā ʻoukou i ka wā pono. E waiho aku i ko ʻoukou kaumaha a pau ma luna ona; no ka mea, ke manaʻo nei ʻo ia iā ʻoukou. **—Petero I 5:6-7**

Be anxious for nothing, but in everything by prayer and supplication with thanksgiving let your requests be made known to God. **—Philippians 4:6**

Mai manaʻo nui ʻoukou i kekahi mea; akā, i nā mea a pau e hōʻike aku i ko ʻoukou makemake i ke Akua ma ka pule, a me ka noi aku, a me ka hoʻomaikaʻi aku.
—Pilipi 4:6

Say to those with anxious heart,
"Take courage, fear not.
Behold, your God will come *with* vengeance;
The recompense of God will come,
But He will save you." —**Isaiah 35:4**

E ʻōlelo aku ʻoukou i ka poʻe makaʻu o ka naʻau,
"I nui ka ikaika, mai makaʻu ʻoukou!
Aia hoʻi ko ʻoukou Akua!
E hele mai nō ia e hoʻopaʻi, ʻo ke Akua hoʻi me ka hoʻouku;
E hele mai nō ʻo ia, a e hoʻōla iā ʻoukou." —**ʻIsaia 35:4**

And He said to His disciples, "For this reason I say to you, do not worry about *your* life, *as to* what you will eat; nor for your body, *as to* what you will put on. For life is more than food, and the body more than clothing."
—**Luke 12:22-23**

A laila ʻōlelo maila i kāna mau haumāna, "No ia mea, ke ʻōlelo aku nei au iā ʻoukou, mai manaʻo nui ma ko ʻoukou ola ʻana, i ka mea e ʻai ai ʻoukou; ʻaʻole hoʻi ma ke kino, i ka mea e ʻaʻahu ai ʻoukou. Ua ʻoi aku ke ola ma mua o ka ʻai, a ʻo ke kino hoʻi ma mua o ke kapa."
—**Luka 12:22-23**

Anxiety in a man's heart weighs it down,
But a good word makes it glad. —**Proverbs 12:25**

ʻO ke kaumaha i loko o ka naʻau o ke kanaka, he mea e kūlou iho ai;
Akā, ma ka ʻōlelo maikaʻi ia e hōʻoluʻolu ʻia ai.
—**Na Solomona 12:25**

"And who of you by being worried can add a *single* hour to his life?" —**Matthew 6:27**

" ʻO wai lā ka mea o ʻoukou e hiki ma ka manaʻo nui ʻana ke hoʻolōʻihi aku i kona kiʻekiʻe i hoʻokahi haʻilima?" —**Mataio 6:27**

"So do not worry about tomorrow; for tomorrow will care for itself. Each day has enough trouble of its own."
—**Matthew 6:34**

"No laila, mai manaʻo nui aku ʻoukou i ka mea o ka lā ʻapōpō; no ka mea, na ka lā ʻapōpō e manaʻo iho i nā mea nona iho. ʻO ka ʻino o kekahi lā ua nui ia nona iho."
—**Mataio 6:34**

Blame
Āhewa • Hoʻāhewa • Hoʻohewa

Therefore you have no excuse, everyone of you who passes judgment, for in that which you judge another, you condemn yourself; for you who judge practice the same things. —**Romans 2:1**

No laila hoʻi, e ke kanaka, ka mea nāna e hoʻohewa aku, ʻaʻole ou mea e hoʻāpono ʻia ai; no ka mea, i kou hoʻāhewa ʻana i kekahi, ua hoʻāhewa ʻoe iā ʻoe iho, no kāu hana ʻana i nā mea āu i hoʻāhewa aku ai. —**Roma 2:1**

"Do not judge so that you will not be judged. For in the way you judge, you will be judged; and by your standard of measure, it will be measured to you." —**Matthew 7:1-2**

"Mai manaʻo ʻino aku, o manaʻo ʻino ʻia mai ʻoukou. No ka mea, me ka manaʻo ʻino a ʻoukou e manaʻo ʻino aku ai, pēlā hoʻi e manaʻo ʻino ʻia mai ai ʻoukou. Me ke ana a ʻoukou e ana aku ai, pēlā nō hoʻi e ana ʻia mai ai no ʻoukou." —**Mataio 7:1-2**

"For God did not send the Son into the world to judge the world, but that the world might be saved through Him." —**John 3:17**

"ʻAʻole nō hoʻi i hoʻouna mai ke Akua i kāna Keiki i ke ao nei, i hoʻohewa ai ʻo ia i ko ke ao nei; akā, i ola ai ko ke ao nei ma ona lā." —**Ioane 3:17**

Let no one say when he is tempted, "I am being tempted by God"; for God cannot be tempted by evil, and He Himself does not tempt anyone. —**James 1:13**

A ʻo ka mea i hoʻowalewale ʻia mai, mai ʻōlelo aʻe ia, "Ua hoʻowalewale ʻia mai au e ke Akua"; no ka mea, ʻaʻole i hoʻowalewale ʻia ke Akua e ka hewa, ʻaʻole loa hoʻi ʻo ia i hoʻowalewale mai i kekahi. —**Iakobo 1:13**

Through all this Job did not sin nor did he blame God. —**Job 1:22**

Ma kēia mea a pau, ʻaʻole ʻo Ioba i hana hewa, ʻaʻole hoʻi ia i hoʻoili wale aku i ka hewa i ke Akua. —**Ioba 1:22**

Blessings •Pōmaikaʻi

Every good thing given and every perfect gift is from above, coming down from the Father of lights. —**James 1:17**

ʻO nā haʻawina maikaʻi a pau a me nā makana hemolele a pau, no luna mai ia i iho mai ai no ka Makua mai o ka mālamalama. —**Iakobo 1:17**

'The LORD bless you, and keep you;
The LORD make His face shine on you,
And be gracious to you;
The LORD lift up His countenance on you,
And give you peace.' —**Numbers 6:24-26**

ʻNa Iēhova ʻoe e hoʻomaikaʻi mai, a e mālama mai;
Na Iēhova e kau mai i ka mālamalama o kona maka ma luna iho ou,
A e lokomaikaʻi mai iā ʻoe.
Na Iēhova e maliu mai iā ʻoe,
A e hāʻawi mai i malu nou.ʼ —**Nā Helu 6:24-26**

"Give, and it will be given to you. They will pour into your lap a good measure—pressed down, shaken together, *and* running over. For by your standard of measure it will be measured to you in return." **—Luke 6:38**

"E hāʻawi aku, a e hāʻawi ʻia mai iā ʻoukou, me ke ana pono i kaomi ʻia iho, i pili pū i ka hoʻolulilului ʻia a hanini i waho, e hāʻawi mai ai lākou i loko o ko ʻoukou poli; no ka mea, me ke ana a ʻoukou e ana aku ai, pēlā nō e ana ʻia mai ai no ʻoukou." **—Luka 6:38**

"All these blessings will come upon you and overtake you if you obey the LORD your God." **—Deuteronomy 28:2**

"E ili mai kēia mau pōmaikaʻi ʻana ma luna iho ou, a e loaʻa aku ʻoe iā lākou, ke hoʻolohe aku ʻoe i ka leo o Iēhova kou Akua." **—Kānāwai Lua 28:2**

Grace and peace be multiplied to you in the knowledge of God and of Jesus our Lord. **—2 Peter 1:2**

E nui ko ʻoukou aloha ʻia mai, a me ka maluhia hoʻi, no ka ʻike pono ʻana i ke Akua, a me Iesū, ko kākou Haku. **—Petero II 1:2**

For ground that drinks the rain which often falls on it and brings forth vegetation useful to those for whose sake it is also tilled, receives a blessing from God.
—Hebrews 6:7

ʻO kahi lepo hoʻi i inu iho i ka ua e hāʻule pinepine ana ma luna iho ona, a i hoʻohua mai nō hoʻi i nā hua e pono ai ka poʻe nāna e mahi, ua hoʻomaikaʻi ʻia mai ia e ke Akua. **—Hebera 6:7**

"Blessed are the poor in spirit, for theirs is the kingdom of heaven. Blessed are those who mourn, for they shall be comforted. Blessed are the gentle, for they shall inherit the earth." **—Matthew 5:3-5**

"Pōmaikaʻi ka poʻe i haʻahaʻa ka naʻau; no ka mea, no lākou ke aupuni o ka lani. Pōmaikaʻi ka poʻe e ʻū ana; no ka mea, e hōʻoluʻolu ʻia aku lākou. Pōmaikaʻi ka poʻe akahai; no ka mea, e lilo ka honua iā lākou." **—Mataio 5:3-5**

How blessed is the man who does not walk in the counsel of the wicked. **—Psalm 1:1**

Pōmaikaʻi ke kanaka i hele ʻole ma ke aʻo ʻia o ka poʻe ʻaiā. **—Halelū 1:1**

Character • ʻAno

Be diligent to present yourself approved to God as a workman who does not need to be ashamed, accurately handling the word of truth. **—2 Timothy 2:15**

E hoʻoikaika nui ʻoe e hōʻike iā ʻoe iho i mua o ke alo o ke Akua me ka hoʻāpono ʻia mai, i paʻahana hoʻi ʻaʻole e pono ke hilahila, e puʻunaue pono aku ana i ka ʻōlelo ʻoiaʻiʻo. **—Timoteo II 2:15**

"God *sees* not as man sees, for man looks at the outward appearance, but the LORD looks at the heart."
—1 Samuel 16:7

"No ka mea, ʻaʻole ma ka mea a ke kanaka i ʻike; ke nānā nei ke kanaka i nā helehelena; akā, ke nānā nei ʻo Iēhova i ka naʻau." **—Samuʻela I 16:7**

Do not be deceived: "Bad company corrupts good morals." **—1 Corinthians 15:33**

E ao o hoʻopunipuni ʻia ʻoukou; "ʻO ka launa aku i ka hewa, ka mea e ʻino ai ka noho pono ʻana." **—Korineto I 15:33**

Whatever is true, whatever is honorable, whatever is right, whatever is pure, whatever is lovely, whatever is of good repute, if there is any excellence and if anything worthy of praise, dwell on these things. **—Philippians 4:8**

ʻO nā mea ʻoiaʻiʻo, nā mea maikaʻi, nā mea pono, nā mea hala ʻole, nā mea lokomaikaʻi, nā mea lono maikaʻi ia; inā he mea kūpono, inā hoʻi he mea e hoʻomaikaʻi ʻia ai, e noʻonoʻo iho ʻoukou ia mau mea. **—Pilipi 4:8**

In all things show yourself to be an example of good deeds, *with* purity in doctrine, dignified, sound *in* speech which is beyond reproach. **—Titus 2:7-8**

Ma nā mea a pau e hōʻike aku ʻoe iā ʻoe iho he kumu hoʻohālike no nā hana maikaʻi; a ma ke aʻo ʻana aku hoʻi, he wahaheʻe ʻole, he hanohano, a he ʻoiaʻiʻo; e hōʻike i ka ʻōlelo pono, ʻaʻole e hiki ke hoʻāhewa ʻia mai. **—Tito 2:7-8**

For we have regard for what is honorable, not only in the sight of the Lord, but also in the sight of men.
—2 Corinthians 8:21

E hoʻomanaʻo ʻē ana i nā mea maikaʻi, ʻaʻole i mua o ke Akua wale nō, i mua hoʻi o kānaka.
—Korineto II 8:21

And not only this, but we also exult in our tribulations, knowing that tribulation brings about perseverance; and perseverance, proven character; and proven character, hope. —**Romans 5:3-4**

ʻAʻole ia wale nō, ke hauʻoli nei nō hoʻi kākou i nā pōpilikia; ke ʻike nei, e hana ana ka pōpilikia i ke ahonui; a ʻo ke ahonui i ka hoʻāʻo ʻana; a ʻo ka hoʻāʻo ʻana i ka manaʻolana. —**Roma 5:3-4**

Only conduct yourselves in a manner worthy of the gospel of Christ, so that whether I come and see you or remain absent, I will hear of you that you are standing firm in one spirit, with one mind striving together for the faith of the gospel. —**Philippians 1:27**

E hana wale ʻoukou ma ka pono o ka ʻeuanelio a Kristo; a inā paha e hele aku au e ʻike iā ʻoukou, inā paha hoʻi ma kahi ʻē e lohe auaneʻi au i kā ʻoukou mau mea, e ʻike nō ua kūpaʻa ʻoukou ma ka ʻuhane hoʻokahi, me ka manaʻo hoʻokahi, a me ka hoʻoikaika pū ʻana i ka manaʻoʻiʻo o ka ʻeuanelio. —**Pilipi 1:27**

When a man's ways are pleasing to the LORD,
He makes even his enemies to be at peace with him.
—Proverbs 16:7

I ka manaʻo ʻoluʻolu ʻana o Iēhova i ka ʻaoʻao o ke kanaka,
Noho launa nō kona poʻe ʻenemi iā ia. **—Na Solomona 16:7**

Do nothing from selfishness or empty conceit, but with humility of mind regard one another as more important than yourselves. **—Philippians 2:3**

Mai hana ʻoukou i kekahi mea me ka hakakā a me ka hoʻokiʻekiʻe wale; akā, me ka naʻau akahai e hōʻoi aku i ka manaʻo maikaʻi iā haʻi, ʻaʻole iā ʻoukou iho. **—Pilipi 2:3**

"The good man brings out of *his* good treasure what is good; and the evil man brings out of *his* evil treasure what is evil." **—Matthew 12:35**

" ʻO ke kanaka maikaʻi, ua lawe mai ia i nā mea maikaʻi mai loko aʻe o ka waiwai maikaʻi o ka naʻau; a ʻo ke kanaka ʻino, ua lawe mai ia i nā mea ʻino mai loko aʻe o ka waiwai ʻino." **—Mataio 12:35**

Comfort
Maha • Hoʻomaha • ʻOluʻolu

Blessed *be* the God and Father of our Lord Jesus Christ, the Father of mercies and God of all comfort, who comforts us in all our affliction so that we will be able to comfort those who are in any affliction with the comfort with which we ourselves are comforted by God.
—2 Corinthians 1:3-4

E hoʻomaikaʻi ʻia ke Akua, ka Makua o ko kākou Haku ʻo Iesū Kristo, ʻo ka Makua nona ke aloha, a ʻo ke Akua hoʻi nona ka ʻoluʻolu a pau;nāna mākou e hōʻoluʻolu mai i nā pilikia a pau o mākou, i hiki iā mākou ke hōʻoluʻolu aku i ka poʻe i loko o nā pilikia a pau, ma ka ʻoluʻolu o mākou i hōʻoluʻolu ʻia mai ai e ke Akua.
—Korineto II 1:3-4

"Come to Me, all who are weary and heavy-laden, and I will give you rest." **—Matthew 11:28**

"E hele mai ʻoukou a pau loa i oʻu nei, e ka poʻe luhi a me ka poʻe kaumaha, naʻu ʻoukou e hoʻomaha aku."
—Mataio 11:28

Even though I walk through the valley of the shadow of death,
I fear no evil, for You are with me;
Your rod and Your staff, they comfort me. **—Psalm 23:4**

ʻOiaʻiʻo, inā e hele au ma ke awāwa malu o ka make,
ʻAʻole au e weliweli i ka pōʻino; no ka mea, ʻo ʻoe pū kekahi me aʻu;
ʻO kou mana, a me kou koʻokoʻo, ʻo koʻu mau mea ia e ʻoluʻolu ai. **—Halelū 23:4**

This is my comfort in my affliction,
That Your word has revived me. **—Psalm 119:50**

Eia koʻu mea e maha ai, i loko o koʻu pilikia;
No ka mea, ua hoʻōla kāu ʻōlelo iaʻu. **—Halelū 119:50**

"I will lead him and restore comfort to him and to his mourners." **—Isaiah 57:18**

"A e alakaʻi nō hoʻi au iā ia,
A e hoʻihoʻi aku i ka maha iā ia, a i kona poʻe kūmākena nō hoʻi." **—ʻIsaia 57:18**

He heals the brokenhearted
And binds up their wounds. —**Psalm 147:3**

Hoʻomaha mai nō ʻo ia i ka poʻe naʻau haehae,
A wahī nō hoʻi ʻo ia i ko lākou mau ʻeha. —**Halelū 147:3**

"I will give thanks to You, O LORD;
For although You were angry with me,
Your anger is turned away,
And You comfort me." —**Isaiah 12:1**

"E hoʻoleʻa aku au iā ʻoe, e Iēhova,
No ka mea, i huhū mai ʻoe iaʻu ma mua,
Akā, ua huli aku kou huhū,
A ua hoʻomaha mai ʻoe iaʻu." —**ʻIsaia 12:1**

Like a shepherd He will tend His flock,
In His arm He will gather the lambs
And carry *them* in His bosom. —**Isaiah 40:11**

E hānai nō ʻo ia i kāna ʻohana me he kahu hipa lā;
E hōʻiliʻili nō hoʻi i nā keiki hipa i kona lima,
A hiʻipoi hoʻi iā lākou ma kona poli. —**ʻIsaia 40:11**

The LORD is near to the brokenhearted
And saves those who are crushed in spirit. **—Psalm 34:18**

Kokoke mai nō ʻo Iēhova i ka poʻe naʻau palupalu;
A hoʻōla nō hoʻi ʻo ia i nā mea ʻuhane mihi. **—Halelū 34:18**

Now may our Lord Jesus Christ Himself and God our Father, who has loved us and given us eternal comfort and good hope by grace, comfort and strengthen your hearts in every good work and word.
—2 Thessalonians 2:16-17

Eia hoʻi, na ko kākou Haku ʻo Iesū Kristo a me ke Akua ko kākou Makua, ka Mea i aloha mai iā kākou, a i hāʻawi wale mai hoʻi iā kākou i ka ʻoluʻolu mau loa, a me ka manaʻolana maikaʻi, ma ka lokomaikaʻi ʻia mai, e hōʻoluʻolu mai i ko ʻoukou mau naʻau, a e hoʻokūpaʻa iā ʻoukou i nā ʻōlelo a me nā hana maikaʻi a pau.
—Tesalonike II 2:16-17

"May the beloved of the LORD dwell in security by Him,
Who shields him all the day,
And he dwells between His shoulders." **—Deuteronomy 33:12**

"Ka hiwahiwa na Iēhova, e noho maluhia me ia,
E hoʻouhi mai ʻo ia iā ia i nā lā a pau;
E noho nō hoʻi ia i waena o kona poʻohiwi."
—Kānāwai Lua 33:12

Comparing Ourselves to Others
Hoʻohālike • Hālikelike

For through the grace given to me I say to everyone among you not to think more highly of himself than he ought to think; but to think so as to have sound judgment, as God has allotted to each a measure of faith.
—Romans 12:3

No ka mea, ma ka haʻawina i hāʻawi ʻia mai iaʻu, ke ʻōlelo aku nei au i kēlā mea i kēia mea i waena o ʻoukou, mai manaʻo mahalo iho ʻo ia iā ia iho a pono ʻole ka manaʻo; akā, e manaʻo hoʻohaʻahaʻa, e like me ka haʻawina o ka manaʻoʻiʻo a ke Akua i hāʻawi mai ai i kēlā mea a i kēia mea. **—Roma 12:3**

Do nothing from selfishness or empty conceit, but with humility of mind regard one another as more important than yourselves. **—Philippians 2:3**

Mai hana ʻoukou i kekahi mea me ka hakakā a me ka hoʻokiʻekiʻe wale; akā, me ka naʻau akahai e hōʻoi aku i ka manaʻo maikaʻi iā haʻi, ʻaʻole iā ʻoukou iho. **—Pilipi 2:3**

For if anyone thinks he is something when he is nothing, he deceives himself. **—Galatians 6:3**

No ka mea, inā paha e mana‘o ana kekahi iā ia iho he mea nui ‘o ia, ‘a‘ole kā ho‘i, inā ua ho‘opunipuni ‘o ia iā ia iho. **—Galatia 6:3**

For am I now seeking the favor of men, or of God? Or am I striving to please men? If I were still trying to please men, I would not be a bond-servant of Christ.
—Galatians 1:10

Ke ho‘olaule‘a nei anei au i kānaka, a i ke Akua anei? Ke ‘imi nei anei ho‘i au e ho‘ole‘ale‘a i kānaka? No ka mea, a i ho‘ole‘ale‘a aku au i kānaka, ‘a‘ole au he kauā na Kristo. **—Galatia 1:10**

For we are not bold to class or compare ourselves with some of those who commend themselves; but when they measure themselves by themselves and compare themselves with themselves, they are without understanding. **—2 Corinthians 10:12**

‘A‘ole mākou e hiki ke ho‘opili aku, ‘a‘ole ho‘i e ho‘ohālike aku iā mākou iho me kekahi po‘e e ho‘omaika‘i ana iā lākou iho; no ka mea, i ke ana ‘ana iā lākou iho ma ko lākou iho, a i ka ho‘ohālike ‘ana iā lākou iho me ko lākou iho, ‘a‘ole i na‘auao lākou.
—Korineto II 10:12

Compassion
Lokomaika'i • Aloha

For we do not have a high priest who cannot sympathize with our weaknesses, but One who has been tempted in all things as *we are, yet* without sin. **—Hebrews 4:15**

No ka mea, ʻaʻole iā kākou ke Kahuna i aloha ʻole mai i ko kākou nāwaliwali; akā, ʻo kekahi i hoʻowalewale ʻia aku i nā mea a pau me kākou lā i hoʻowalewale ʻia mai ai, ʻaʻole hoʻi ona hala. **—Hebera 4:15**

Bear one another's burdens, and thereby fulfill the law of Christ. **—Galatians 6:2**

E hali kekahi o ʻoukou i nā mea kaumaha a kekahi, pēlā ʻoukou e hoʻokō ai i ke kānāwai o Kristo. **—Galatia 6:2**

Rejoice with those who rejoice, and weep with those who weep. **—Romans 12:15**

E hauʻoli pū me ka poʻe e hauʻoli ana, a e uē pū me ka poʻe e uē ana. **—Roma 12:15**

Just as a father has compassion on *his* children,
So the LORD has compassion on those who fear Him.
—Psalm 103:13

Me ka makua e aloha ana i kāna keiki,
Pēlā nō ʻo Iēhova e aloha ai i ka poʻe e makaʻu aku iā ia.
—Halelū 103:13

But He, being compassionate, forgave *their* iniquity and did not destroy *them;*
And often He restrained His anger
And did not arouse all His wrath. **—Psalm 78:38**

Lokomaikaʻi mai nō naʻe ʻo ia, a kala mai ka hala,
ʻAʻole i ʻānai mai iā lākou;
Hoʻohuli pinepine aku ʻo ia i kona huhū,
ʻAʻole i hoʻāla i kona inaina a pau. **—Halelū 78:38**

The LORD is good to all,
And His mercies are over all His works. **—Psalm 145:9**

He maikaʻi nō ʻo Iēhova i nā mea a pau;
A aia hoʻi kona lokomaikaʻi ma luna o kāna mau hana a pau. **—Halelū 145:9**

Complaining • Ōhumu

Do all things without grumbling or disputing; so that you will prove yourselves to be blameless and innocent, children of God above reproach in the midst of a crooked and perverse generation, among whom you appear as lights in the world. —**Philippians 2:14-15**

E hana ʻoukou i nā mea a pau me ka ʻōhumu ʻole, a me ka hoʻopaʻapaʻa ʻole; i hala ʻole ʻoukou a me ke kolohe ʻole, he poʻe keiki na ke Akua, i hoʻohewa ʻole ʻia i waena o ka hanauna kekeʻe a me ke kolohe, e ʻalohi hoʻi ʻoukou i waena o lākou e like me nā mālamalama i ke ao nei. —**Pilipi 2:14-15**

Do not complain, brethren, against one another, so that you yourselves may not be judged; behold, the Judge is standing right at the door. —**James 5:9**

E nā hoahānau, mai ʻōhumu aku kekahi i kekahi, o hoʻohewa ʻia mai ʻoukou. Eia hoʻi, ke kū mai nei ka Luna Kānāwai ma ka puka. —**Iakobo 5:9**

Let no unwholesome word proceed from your mouth, but only such *a word* as is good for edification according to the need *of the moment,* so that it will give grace to those who hear. **—Ephesians 4:29**

Mai hoʻopuka aʻe ʻoukou i ka ʻōlelo ʻino mai loko mai o ko ʻoukou waha; akā, ʻo ka ʻōlelo maikaʻi no ke kūpaʻa ʻana, i hōʻoluʻolu aku ai ia i ka poʻe lohe. **—ʻEpeso 4:29**

Why should *any* living mortal, or *any* man,
Offer complaint in view of his sins? **—Lamentations 3:39**

No ke aha lā e ʻōhumu ai ke kanaka e ola ana,
ʻO ke kanaka hoʻi no kona hoʻopaʻi ʻia? **—Ke Kanikau 3:39**

Be hospitable to one another without complaint.
—1 Peter 4:9

E hoʻokipa maikaʻi ʻoukou i kekahi i kekahi, me ka ʻōhumu ʻole. **—Petero I 4:9**

Confidence
Paulele • Wiwoʻole • Maopopo

For the LORD will be your confidence
And will keep your foot from being caught. —**Proverbs 3:26**

No ka mea, ʻo Iēhova nō kou mea e paulele ai,
E mālama nō ʻo ia i kou wāwae i ʻole nō e hei ʻia.
—**Na Solomona 3:26**

Not that we are adequate in ourselves to consider anything as *coming* from ourselves, but our adequacy is from God. —**2 Corinthians 3:5**

ʻAʻole hoʻi e hiki iā mākou kekahi mea ma ko mākou noʻonoʻo ʻana, ʻo mākou wale; akā, ʻo ke Akua nō ko mākou mea e hiki ai. —**Korineto II 3:5**

"THE LORD IS MY HELPER, I WILL NOT BE AFRAID. WHAT WILL MAN DO TO ME?" —**Hebrews 13:6**

"ʻO KA HAKU KOʻU MEA NĀNA E KŌKUA MAI,
ʻAʻOLE AU E MAKAʻU
I KĀ KANAKA E HANA MAI AI IAʻU." —**Hebera 13:6**

Beloved, if our heart does not condemn us, we have confidence before God. —**1 John 3:21**

E nā punahele, inā e hoʻohewa ʻole mai ko kākou naʻau iā kākou iho, a laila ua loaʻa iā kākou ka wiwo ʻole i mua o ke Akua. —**Ioane I 3:21**

Therefore, do not throw away your confidence, which has a great reward. For you have need of endurance, so that when you have done the will of God, you may receive what was promised. —**Hebrews 10:35-36**

No laila, mai kiola aku ʻoukou i ko ʻoukou paulele ʻana, ka mea e uku nui ʻia mai ana. ʻO ke ahonui ko ʻoukou mea e pono ai, i loaʻa mai ai iā ʻoukou ka pono i haʻi mua ʻia mai, ma hope iho o kā ʻoukou hana ʻana i ka makemake o ke Akua. —**Hebera 10:35-36**

I have confidence in you in the Lord that you will adopt no other view; but the one who is disturbing you will bear his judgment, whoever he is. —**Galatians 5:10**

Ua maopopo kuʻu manaʻo iā ʻoukou ma ka Haku, ʻaʻole ʻoukou e manaʻo ma ka mea kūʻē; akā, ʻo ka mea nāna ʻoukou i hoʻopilikia aku, e uku ʻia ana ʻo ia. —**Galatia 5:10**

Conflict Resolution
Hoʻolauleʻa • Hoʻoponopono
Hookuikahi

"If your brother sins, go and show him his fault in private; if he listens to you, you have won your brother." —**Matthew 18:15**

"Inā e hana hewa mai kou hoahānau iā ʻoe, e hele ʻoe e aʻo aku iā ia ʻolua wale nō. A i hoʻolohe mai ʻo ia iā ʻoe, ua loaʻa iā ʻoe kou hoahānau." —**Mataio 18:15**

Never pay back evil for evil to anyone. Respect what is right in the sight of all men. —**Romans 12:17**

Mai hana ʻino aku i kekahi no ka hana ʻino mai. E ʻimi i ka pono i mua o nā kānaka a pau. —**Roma 12:17**

"Blessed are the peacemakers, for they shall be called sons of God." —**Matthew 5:9**

"Pōmaikaʻi ka poʻe ʻuao; no ka mea, e ʻī ʻia lākou he poʻe keiki na ke Akua." —**Mataio 5:9**

Bearing with one another, and forgiving each other, whoever has a complaint against anyone; just as the Lord forgave you, so also should you. **—Colossians 3:13**

E hoʻomanawanui ana kekahi i kekahi, e kala ana hoʻi kekahi i kekahi, ke loaʻa ka hala o kekahi i kekahi; e like me kā Kristo kala ʻana mai iā ʻoukou, pēlā aku hoʻi ʻoukou. **—Kolosa 3:13**

'You shall not take vengeance, nor bear any grudge against the sons of your people, but you shall love your neighbor as yourself.' **—Leviticus 19:18**

ʻMai hoʻomaʻau, mai hoʻomauhala i nā keiki o kou poʻe kānaka; akā, e aloha ʻoe i kou hoalauna e like me ʻoe iho.' **—ʻOihana Kahuna 19:18**

Let all bitterness and wrath and anger and clamor and slander be put away from you, along with all malice. **—Ephesians 4:31**

E hoʻokaʻawale ʻia nā mea ʻawaʻawa a pau mai o ʻoukou aku, a me ka inaina, ka huhū, ka ʻuā, ka ʻōlelo ʻino, a me ka manaʻo ʻino a pau. **—ʻEpeso 4:31**

A brother offended *is harder to be won* than a strong city,
And contentions are like the bars of a citadel.
—Proverbs 18:19

ʻAʻole ikaika ke kūlanakauhale paʻa i ka pā e like me ka hoahānau i hoʻonāukiuki ʻia;
A ʻo ko lāua hoʻopaʻapaʻa ʻana, ua like me nā kaola hao o ka hale aliʻi. **—Na Solomona 18:19**

"Whoever hits you on the cheek, offer him the other also; and whoever takes away your coat, do not withhold your shirt from him either." **—Luke 6:29**

"A i ka mea e kuʻi mai iā ʻoe ma kekahi pāpālina, e hāʻawi hou aʻe i kekahi; a i ka mea e lawe aku i kou ʻaʻahu, mai ʻauʻa i kou kapa komo." **—Luka 6:29**

A hot-tempered man stirs up strife,
But the slow to anger calms a dispute. **—Proverbs 15:18**

ʻO ke kanaka huhū, ʻo ia ke hoʻāla aʻe i ka hakakā;
ʻO ka mea akahele i ka huhū, hoʻomālielie ʻo ia i ka hakakā. **—Na Solomona 15:18**

"'YOU SHALL LOVE YOUR NEIGHBOR and hate your enemy.' But I say to you, love your enemies and pray for those who persecute you." **—Matthew 5:43-44**

"Ua lohe nō 'oukou i ka 'ōlelo 'ana mai, 'E ALOHA AKU 'OE I KOU HOALAUNA, a e inaina aku ho'i i kou 'enemi.' Eia ho'i ka'u e 'ōlelo aku nei iā 'oukou, e aloha aku i ko 'oukou po'e 'enemi, e ho'omaika'i aku ho'i i ka po'e hō'ino mai iā 'oukou; e hana lokomaika'i aku ho'i i ka po'e inaina mai iā 'oukou; e pule aku ho'i no ka po'e ho'ohewa wale mai iā 'oukou, a hana 'ino mai ho'i iā 'oukou." **—Mataio 5:43-44**

The beginning of strife is *like* letting out water,
So abandon the quarrel before it breaks out.
—Proverbs 17:14

E like me ka ho'okahe 'ana o ka wai,
Pēlā ka ho'omaka 'ana o ka hakakā;
No laila, e oki 'ē i ka hakakā ma mua o kona māhuahua 'ana. **—Na Solomona 17:14**

We are of good courage, I say, and prefer rather to be absent from the body and to be at home with the Lord.
—2 Corinthians 5:8

Ua ikaika nō mākou, a ke ake nei nō ho'i e noho mamao mākou i ke kino, a e noho pū me ka Haku. **—Korineto II 5:8**

"Therefore if you are presenting your offering at the altar, and there remember that your brother has something against you, leave your offering there before the altar and go; first be reconciled to your brother, and then come and present your offering. Make friends quickly with your opponent at law while you are with him on the way, so that your opponent may not hand you over to the judge, and the judge to the officer, and you be thrown into prison. " **—Matthew 5:23-25**

"No ia mea, a i lawe mai ʻoe i kāu mōhai i ke kuahu, a ma laila ʻoe i manaʻo ai, he mea kāu e hewa ai i kou hoahānau; e waiho ma laila ʻoe i kāu mōhai i mua o ke kuahu, e hele aku ʻoe e hoʻolauleʻa ʻē ma mua i kou hoahānau, a laila e hoʻi mai e kaumaha aku i kāu mōhai. E hoʻolauleʻa koke aku ʻoe i kou mea i lawehala ai, ʻoiai ʻoe me ia ma ke alanui, o hāʻawi aku kēlā iā ʻoe i ka luna kānāwai, a na ka luna kānāwai ʻoe e hāʻawi aku i ka ilāmuku, a e hoʻolei ʻia aku ʻoe i loko o ka hale paʻahao." **—Mataio 5:23-25**

Do this then, my son, and deliver yourself;
Since you have come into the hand of your neighbor,
Go, humble yourself, and importune your neighbor.
—Proverbs 6:3

ʻĀnō lā, e kuʻu keiki, e hana ʻoe i kēia, i pakele,
I kou lilo ʻana i ka lima o kou hoalauna;
Ō hele, e hoʻohaʻahaʻa iā ʻoe iho, e hoʻolauleʻa i kou hoalauna. **—Na Solomona 6:3**

For He Himself is our peace, who made both *groups into* one and broke down the barrier of the dividing wall, by abolishing in His flesh the enmity, *which is* the Law of commandments *contained* in ordinances, so that in Himself He might make the two into one new man, *thus* establishing peace. —**Ephesians 2:14-15**

No ka mea, ʻo ia ko kākou mea hoʻokuʻikahi, kai hoʻolilo i nā mea ʻelua i hoʻokahi, a ua wāwahi iho hoʻi i ka pākū hoʻokaʻawale i waena; ua hoʻopau aʻela hoʻi ʻo ia ma kona kino i ka mea e inaina ai, ʻo ia ke Kānāwai no nā kauoha ʻē me nā kapu, i hoʻolilo ai ʻo ia i nā mea ʻelua i kanaka hou hoʻokahi ma lalo iho ona, pēlā e hoʻokuʻikahi ana. —**ʻEpeso 2:14-15**

"Yield now and be at peace with Him;
Thereby good will come to you." —**Job 22:21**

"E hoʻokuʻikahi aʻe me ia ʻānō, a e pōmaikaʻi;
Pēlā nō e hiki mai ai ka pōmaikaʻi iā ʻoe." —**Ioba 22:21**

And Jesus said, "For judgment I came into this world, so that those who do not see may see, and that those who see may become blind." —**John 9:39**

ʻŌlelo maila ʻo Iesū, "No ka hoʻoponopono kaʻu i hele mai ai i kēia ao, i lilo ai ka poʻe ʻike ʻole i poʻe ʻike; a i lilo ai ka poʻe ʻike i poʻe makapō." —**Ioane 9:39**

All discipline for the moment seems not to be joyful, but sorrowful; yet to those who have been trained by it, afterwards it yields the peaceful fruit of righteousness.
—Hebrews 12:11

A ʻo nā hahau ʻana a pau, ʻaʻole ia i manaʻo ʻia i kona manawa, he mea ʻoliʻoli, he mea ʻehaʻeha nō; akā, ma ia hope iho, ua hoʻohua mai ia i ka hua o ka pono e pōmaikaʻi ai no ka poʻe i hoʻoponopono ʻia i laila.
—Hebera 12:11

Courage • Koa • Ikaika

"Have I not commanded you? Be strong and courageous! Do not tremble or be dismayed, for the LORD your God is with you wherever you go." **—Joshua 1:9**

" 'A'ole anei au i kauoha aku iā 'oe? E ikaika a e koa ho'i. Mai maka'u 'oe, 'a'ole ho'i e weliweli; no ka mea, me 'oe pū nō 'o Iēhova 'o kou Akua, ma ke ala a pau āu e hele ai." **—Iosua 1:9**

Therefore, being always of good courage, and knowing that while we are at home in the body we are absent from the Lord—for we walk by faith, not by sight.
—2 Corinthians 5:6-7

No ia ho'i, he ikaika mau ko mākou, no ka 'ike iho, i ko mākou noho 'ana ma ke kino, ua mamao mākou i ka Haku. No ka mea, ke hele nei mākou ma ka mana'o'i'o, 'a'ole ma ka 'ike maka 'ana. **—Korineto II 5:6-7**

“Be strong and courageous, do not be afraid or tremble at them, for the LORD your God is the one who goes with you. He will not fail you or forsake you.” —**Deuteronomy 31:6**

“E ikaika ‘oukou, a e koa ho‘i; mai hopohopo ‘oukou, mai maka‘u iā lākou; no ka mea, ‘o Iēhova kou Akua, ‘o ia ke hele pū me ‘oe; ‘a‘ole ia e ku‘u aku iā ‘oe, ‘a‘ole ho‘i e ha‘alele iā ‘oe.” —**Kānāwai Lua 31:6**

Wait for the LORD;
Be strong and let your heart take courage;
Yes, wait for the LORD. —**Psalm 27:14**

E mana‘olana iā Iēhova; i nui ka ikaika,
A e ho‘oikaika mai ‘o ia i kou na‘au;
E hilina‘i aku ho‘i iā Iēhova. —**Halelū 27:14**

The wicked flee when no one is pursuing,
But the righteous are bold as a lion. —**Proverbs 28:1**

Ho‘ohe‘e wale ka mea hewa, ‘a‘ohe mea e hahai ana;
‘O ka po‘e pono ho‘i, wiwo ‘ole lākou me he liona lā.
—**Na Solomona 28:1**

"Behold, I send you out as sheep in the midst of wolves; so be shrewd as serpents and innocent as doves."
—Matthew 10:16

"Eia hoʻi, ke hoʻouna aku nei au iā ʻoukou e like me nā hipa ma waena o nā ʻīlio hihiu hae; no ia mea, e maʻalea ʻoukou e like me nā nahesa, e noho mālie hoʻi e like me nā manu nūnū." **—Mataio 10:16**

"Be strong, and let us show ourselves courageous for the sake of our people and for the cities of our God."
—2 Samuel 10:12

"I nui ka ikaika, a e koa hoʻi kākou no ko kākou lāhui kanaka, a me nā kūlanakauhale o ko kākou Akua."
—Samuʻela II 10:12

Be strong and let your heart take courage,
All you who hope in the LORD. **—Psalm 31:24**

E hoʻolana ʻoukou, a e hoʻoikaika mai ʻo ia i ko ʻoukou naʻau,
E ka poʻe a pau e hilinaʻi ana iā Iēhova. **—Halelū 31:24**

He said, "O man of high esteem, do not be afraid. Peace be with you; take courage and be courageous!" Now as soon as he spoke to me, I received strength and said, "May my lord speak, for you have strengthened me."
—Daniel 10:19

'Ī maila ia, "E ke kanaka i aloha nui 'ia, mai maka'u 'oe; he maluhia kou; e ikaika 'oe, 'o ia e ikaika 'oe." A i kāna 'ōlelo 'ana mai ia'u, ua ikaika a'ela au, 'ī akula au, "E 'ōlelo mai, e ku'u haku; no ka mea, ua ho'oikaika mai 'oe ia'u." **—Dani'ela 10:19**

And when they had prayed, the place where they had gathered together was shaken, and they were all filled with the Holy Spirit and *began* to speak the word of God with boldness. **—Acts 4:31**

A pau kā lākou pule 'ana, nāueue a'ela kahi a lākou i 'ākoakoa ai; a ua piha ihola lākou i ka 'Uhane Hemolele, a ha'i akula lākou i ka 'ōlelo a ke Akua me ka wiwo 'ole. **—'Oihana 4:31**

Decision Making • Hoʻoholo

But if any of you lacks wisdom, let him ask of God, who gives to all generously and without reproach, and it will be given to him. —**James 1:5**

Inā i nele kekahi o ʻoukou i ke akamai, e noi aku ʻo ia i ke Akua i ka Mea i hāʻawi lokomaikaʻi mai no nā mea a pau me ka hōʻino ʻole mai, a e hāʻawi ʻia mai nō ia nona. —**Iakobo 1:5**

'For I know the plans that I have for you,' declares the LORD, 'plans for welfare and not for calamity to give you a future and a hope.' —**Jeremiah 29:11**

ʻNo ka mea, ua ʻike nō wau i nā manaʻo aʻu e manaʻo nei iā oukou,ʼ wahi a Iēhova, ʻhe mau manaʻo no ka hoʻomalu, ʻaʻole no ke ʻāhewa, e hāʻawi iā ʻoukou i hope maikaʻi, a me ka hoʻolana.ʼ —**Ieremia 29:11**

In all your ways acknowledge Him,
And He will make your paths straight. —**Proverbs 3:6**

Ma kou ʻaoʻao a pau iā ia nō ʻoe e nānā aku ai,
A nāna nō e hoʻopololei i kou hele ʻana. —**Na Solomona 3:6**

Your ears will hear a word behind you, "This is the way, walk in it," whenever you turn to the right or to the left.
—Isaiah 30:21

E lohe nō kou mau pepeiao i ka ʻōlelo ma hope ou, i ka ʻī ʻana mai, "Eia ke ala, e hele ma loko o laila," inā paha ʻoukou e huli ma ka ʻākau, a inā paha ʻoukou e huli ma ka hema. **—ʻIsaia 30:21**

Where there is no guidance the people fall,
But in abundance of counselors there is victory.
—Proverbs 11:14

Ma kahi e ʻahaʻōlelo ʻole ai, e hāʻule nā kānaka;
Ma ka lehulehu o ka poʻe kūkākūkā he maluhia.
—Na Solomona 11:14

I will instruct you and teach you in the way which you should go;
I will counsel you with My eye upon you. **—Psalm 32:8**

E aʻo aku au iā ʻoe, a hōʻike iā ʻoe i kou ala e hele ai;
E alakaʻi au iā ʻoe me koʻu maka. **—Halelū 32:8**

"I can do nothing on My own initiative. As I hear, I judge; and My judgment is just, because I do not seek My own will, but the will of Him who sent Me." —**John 5:30**

" 'A'ole e hiki ia'u wale iho, ke hana i kekahi mea: e like me ka'u i lohe ai, pēlā ho'i ka'u e ho'opa'i ai; a he pono ka'u ho'opa'i 'ana; no ka mea, 'a'ole wau e 'imi i ko'u makemake iho; akā, i ka makemake o ka Makua nāna au i ho'ouna mai." —**Ioane 5:30**

Whatever you do in word or deed, *do* all in the name of the Lord Jesus, giving thanks through Him to God the Father. —**Colossians 3:17**

A 'o kā 'oukou mea e lawelawe ai ma ka 'ōlelo, a ma ka hana, e pau ia i ka hana 'ia i loko o ka inoa o ka Haku, 'o Iesū, a e ho'omaika'i aku i ke Akua, i ka Makua, ma ona lā. —**Kolosa 3:17**

A prudent man sees evil *and* hides himself,
The naive proceed *and* pay the penalty. —**Proverbs 27:12**

'O ka mea no'ono'o lā, 'ike 'ē 'o ia ma mua i ka pō'ino
a hūnā iā ia iho;
Hele wale aku ho'i ka po'e nanea a hihia ihola.
—**Na Solomona 27:12**

Depression • Kaumaha • Mihi

Answer me quickly, O LORD, my spirit fails;
Do not hide Your face from me,
Or I will become like those who go down to the pit.
—Psalm 143:7

E hoʻolohe koke mai ʻoe iaʻu, e Iēhova,
Ua maʻule koʻu ʻuhane;
Mai hūnā ʻoe i kou maka iaʻu,
O like auaneʻi au me ka poʻe iho i lalo i ka lua.
—Halelū 143:7

Cast your burden upon the LORD and He will sustain you;
He will never allow the righteous to be shaken.
—Psalm 55:22

E waiho aku i kāu mea kaumaha ma luna o Iēhova,
A e kōkua mai ʻo ia iā ʻoe;
ʻAʻole loa ia e waiho mai i ka mea pono e hoʻonaue ʻia.
—Halelū 55:22

He brought me up out of the pit of destruction, out of the miry clay,
And He set my feet upon a rock making my footsteps firm. —**Psalm 40:2**

Ua lawe mai ʻo ia iaʻu mai loko mai o ka lua weliweli,
Mai loko mai o ka lepo pohō,
A ua hoʻokū i koʻu mau kapuaʻi ma luna o ka pōhaku,
A ua hoʻokū pono ʻo ia i kuʻu hele ʻana. —**Halelū 40:2**

The LORD is near to the brokenhearted
And saves those who are crushed in spirit. —**Psalm 34:18**

Kokoke mai nō ʻo Iēhova i ka poʻe naʻau palupalu;
A hoʻōla nō hoʻi ʻo ia i nā mea ʻuhane mihi. —**Halelū 34:18**

The LORD is the one who goes ahead of you; He will be with you. He will not fail you or forsake you. Do not fear or be dismayed." —**Deuteronomy 31:8**

"A ʻo Iēhova, ʻo ia ke hele i mua ou; ʻo ia pū kekahi me ʻoe, ʻaʻole ʻo ia e kuʻu aku, ʻaʻole hoʻi e haʻalele iā ʻoe; mai makaʻu ʻoe, mai hopohopo." —**Kānāwai Lua 31:8**

Desire • Makemake

For all that is in the world, the lust of the flesh and the lust of the eyes and the boastful pride of life, is not from the Father, but is from the world. —**1 John 2:16**

No ka mea, ʻo nā mea a pau ma ko kēia ao, ʻo ke kuko o ke kino, a me ke kuko o ka maka, a me ka hoʻohanohano o kēia ola ʻana, ʻaʻole ia no ka Makua mai; akā, no ke ao nei nō ia. —**Ioane I 2:16**

Delight yourself in the LORD;
And He will give you the desires of your heart. —**Psalm 37:4**

E hauʻoli hoʻi ʻoe iā Iēhova,
A e hāʻawi mai nō ia nou i ka makemake o kou naʻau.
—**Halelū 37:4**

Set your mind on the things above, not on the things that are on earth. —**Colossians 3:2**

E paulele ʻoukou i nā mea o luna, ʻaʻole i nā mea ma ka honua nei. —**Kolosa 3:2**

With all my heart I have sought You;
Do not let me wander from Your commandments.
—Psalm 119:10

Ua ʻimi aku au iā ʻoe me kuʻu naʻau a pau;
Mai kuʻu mai ʻoe iaʻu, e ʻaʻe ma luna o kāu mau kauoha.
—Halelū 119:10

Let us behave properly as in the day, not in carousing and drunkenness, not in sexual promiscuity and sensuality, not in strife and jealousy. **—Romans 13:13**

E hele pono kākou me ka hele ʻana i ka lā; ʻaʻole me ka ʻuhaʻuha ʻana a me ka ʻona ʻana, ʻaʻole me ka moekolohe ʻana a me ka makaleho ʻana, ʻaʻole me ka hakakā ʻana a me ka ukiuki ʻana. **—Roma 13:13**

He will fulfill the desire of those who fear Him;
He will also hear their cry and will save them.
—Psalm 145:19

E hana mai nō ʻo Iēhova i ka makemake o ka poʻe i makaʻu aku iā ia,
E hoʻolohe mai nō hoʻi ʻo ia i kā lākou pule a e hoʻōla iā lākou. **—Halelū 145:19**

"ALL FLESH IS LIKE GRASS,
AND ALL ITS GLORY LIKE THE FLOWER OF GRASS.
THE GRASS WITHERS,
AND THE FLOWER FALLS OFF,
BUT THE WORD OF THE LORD ENDURES FOREVER."
—1 Peter 1:24-25

"UA LIKE WALE NŌ ME KA MAU'U NĀ KĀNAKA A PAU,
A 'O KONA NANI A PAU, UA LIKE ME KA PUA O KA MAU'U.
E MALO'O ANA NŌ KA MAU'U,
A HĀ'ULE WALE IHO NŌ HO'I KONA PUA;
AKĀ, E MAU LOA AKU NŌ KA 'ŌLELO A KE AKUA."
—Petero I 1:24-25

For all that is in the world, the lust of the flesh and the lust of the eyes and the boastful pride of life, is not from the Father, but is from the world. The world is passing away, and *also* its lusts; but the one who does the will of God lives forever. **—1 John 2:16-17**

No ka mea, 'o nā mea a pau ma ko kēia ao, 'o ke kuko o ke kino, a me ke kuko o ka maka, a me ka ho'ohanohano o kēia ola 'ana, 'a'ole ia no ka Makua mai; akā, no ke ao nei nō ia. A 'o ke ao nei, ke pane'e aku nei a me nā kuko ona; akā, 'o ka mea e hana ana i ko ke Akua makemake, e mau loa ana nō ia. **—Ioane I 2:16-17**

Let no one say when he is tempted, "I am being tempted by God"; for God cannot be tempted by evil, and He Himself does not tempt anyone. —**James 1:13**

A ʻo ka mea i hoʻowalewale ʻia mai, mai ʻōlelo aʻe ia, "Ua hoʻowalewale ʻia mai au e ke Akua"; no ka mea, ʻaʻole i hoʻowalewale ʻia ke Akua e ka hewa, ʻaʻole loa hoʻi ʻo ia i hoʻowalewale mai i kekahi. —**Iakobo 1:13**

May He grant you your heart's desire
And fulfill all your counsel! —**Psalm 20:4**

E hāʻawi mai hoʻi e like me kou naʻau iho,
E hoʻokō mai hoʻi i kou manaʻo a pau! —**Psalm 20:4**

Discipline • A'o ikaika

All discipline for the moment seems not to be joyful, but sorrowful; yet to those who have been trained by it, afterwards it yields the peaceful fruit of righteousness.
—Hebrews 12:11

A ʻo nā hahau ʻana a pau, ʻaʻole ia i manaʻo ʻia i kona manawa, he mea ʻoliʻoli, he mea ʻehaʻeha nō; akā, ma ia hope iho, ua hoʻohua mai ia i ka hua o ka pono e pōmaikaʻi ai no ka poʻe i hoʻoponopono ʻia i laila.
—Hebera 12:11

"Thus you are to know in your heart that the LORD your God was disciplining you just as a man disciplines his son." **—Deuteronomy 8:5**

"E hoʻomanaʻo hoʻi ʻoe i loko o kou naʻau, e like me ke kanaka e hoʻoʻehaʻeha ana i kāna keiki, pēlā hoʻi ʻo Iēhova e hoʻoʻehaʻeha mai ai iā ʻoe." **—Kānāwai Lua 8:5**

Listen to counsel and accept discipline,
That you may be wise the rest of your days. **—Proverbs 19:20**

E hoʻolohe i ka ʻōlelo aʻo, e hāliu hoʻi i ke aʻo ʻia mai,
I naʻauao ʻoe i kou hopena. **—Na Solomona 19:20**

Whoever loves discipline loves knowledge,
But he who hates reproof is stupid. —**Proverbs 12:1**

ʻO ka mea makemake i ke aʻo ʻia mai, ʻo ia kai makemake i ka ʻike;
ʻO ka mea hoʻowahāwahā i ke aʻo ʻia mai, he holoholona ia. —**Na Solomona 12:1**

For the commandment is a lamp and the teaching is light;
And reproofs for discipline are the way of life. —**Proverbs 6:23**

No ka mea, he kukui ke kauoha,
He mālamalama ke kānāwai,
ʻO ka ʻaoʻao o ke ola ʻo ia ke aʻo ʻana e naʻauao ai.
—**Na Solomona 6:23**

Fathers, do not provoke your children to anger, but bring them up in the discipline and instruction of the Lord.
—**Ephesians 6:4**

ʻOukou hoʻi, e nā mākua, mai hoʻonāukiuki aku i nā keiki a ʻoukou; akā, e alakaʻi iā lākou ma ka hoʻopono a me ka hoʻonaʻauao a ka Haku. —**ʻEpeso 6:4**

But when we are judged, we are disciplined by the Lord so that we will not be condemned along with the world.
—1 Corinthians 11:32

Akā, i ko kākou hoʻāhewa ʻia, ua hahau ʻia kākou e ka Haku, i ʻole ai kākou e hoʻāhewa pū ʻia me ko ke ao nei.
—Korineto I 11:32

Blessed is the man whom You chasten, O LORD,
And whom You teach out of Your law;
That You may grant him relief from the days of adversity.
—Psalm 94:12-13

Pōmaikaʻi ke kanaka āu e aʻo mai ai, e Iēhova,
A hoʻonaʻauao hoʻi ma kou kānāwai;
I hoʻomaha ai ʻoe iā ia mai nā lā o ka ʻino. **—Halelū 94:12-13**

Doubt • Kānalua

But he must ask in faith without any doubting, for the one who doubts is like the surf of the sea, driven and tossed by the wind. **—James 1:6**

Akā, e noi aku ʻo ia me ka manaʻoʻiʻo, ʻaʻole me ke kānalua; no ka mea, ʻo ka mea e kānalua ana, ua like nō ia me ka ʻale o ke kai i puhi ʻia e ka makani a kūpikipikiʻō. **—Iakobo 1:6**

"Truly I say to you, whoever says to this mountain, 'Be taken up and cast into the sea,' and does not doubt in his heart, but believes that what he says is going to happen, it will be *granted* him." **—Mark 11:23**

"No ka mea, he ʻoiaʻiʻo kaʻu ʻōlelo aku nei iā ʻoukou, ʻo ka mea e ʻōlelo mai i kēia mauna, ʻE hoʻoneʻe aku, a e lele i ke kai,' ʻaʻole hoʻi e kānalua kona naʻau; akā, ua manaʻoʻiʻo nō, e hana ʻia kēia mau mea āna e ʻōlelo ai; e loaʻa ʻiʻo nō iā ia ka mea āna e ʻōlelo ai." **—Mareko 11:23**

Then He *said to Thomas, "Reach here with your finger, and see My hands; and reach here your hand and put it into My side; and do not be unbelieving, but believing."
—John 20:27

A laila ʻī maila ʻo ia iā Toma, "E ʻō mai i kou manamana lima ma ʻaneʻi, a e nānā i koʻu mau lima, e ʻō mai i kou lima, a e hou iho ma kuʻu ʻaoʻao; a mai noho a kānalua; akā, e manaʻoʻiʻo." **—Ioane 20:27**

But he who doubts is condemned if he eats, because *his eating is* not from faith; and whatever is not from faith is sin. **—Romans 14:23**

ʻO ka mea kānalua, e hoʻāhewa ʻia ʻo ia ke ʻai ia; no ka mea, ʻaʻole ma ka manaʻoʻiʻo ʻia. A ʻo nā mea a pau ʻaʻole ma ka manaʻoʻiʻo, he hewa ia. **—Roma 14:23**

He *said to them, "Why are you afraid, you men of little faith?" Then He got up and rebuked the winds and the sea, and it became perfectly calm. **—Matthew 8:26**

ʻĪ maila ʻo ia iā lākou, "He aha kā ʻoukou e makaʻu ai, e ka poʻe paulele kāpekepeke?" Kū aʻela ia i luna, pāpā akula ia i ka makani a me ka loko, a mālie loa ihola.
—Mataio 8:26

Faith • Mana‘o‘i‘o • Paulele

Let us hold fast the confession of our hope without wavering, for He who promised is faithful. —**Hebrews 10:23**

E ho‘opa‘a kākou i ka mana‘olana a kākou i ha‘i aku ai me ka luli ‘ole; no ka mea, he kūpa‘a ‘i‘o ko ka Mea nāna i ha‘i mua mai ka pono. —**Hebera 10:23**

So that your faith would not rest on the wisdom of men, but on the power of God. —**1 Corinthians 2:5**

I pa‘a ko ‘oukou mana‘o‘i‘o, ma ka mana o ke Akua, ‘a‘ole ma ke akamai o kānaka. —**Korineto I 2:5**

Now faith is the assurance of *things* hoped for, the conviction of things not seen. —**Hebrews 11:1**

‘O ka mana‘o‘i‘o, ‘o ka hilina‘i ‘ana nō ia ma nā mea i mana‘olana ‘ia ai, a ‘o ka ho‘omaopopo ‘ana ho‘i o nā mea i ‘ike maka ‘ole ‘ia. —**Hebera 11:1**

And He got up and rebuked the wind and said to the sea, "Hush, be still." And the wind died down and it became perfectly calm. And He said to them, "Why are you afraid? Do you still have no faith?" **—Mark 4:39-40**

A laila kū a'ela ia i luna, pāpā a'ela i ka makani, a 'ōlelo a'ela i ka moana wai, "Hāmau, e noho mālie." Oki ihola ka makani, a pohu maika'i ihola. 'Ī maila 'o ia iā lākou, "No ke aha lā 'oukou i maka'u ai? Pehea ko 'oukou mana'o'i'o 'ole 'ana?" **—Mareko 4:39-40**

"Because of the littleness of your faith; for truly I say to you, if you have faith the size of a mustard seed, you will say to this mountain, 'Move from here to there,' and it will move; and nothing will be impossible to you."
—Matthew 17:20

"No ko 'oukou mana'o'i'o 'ole. He 'oia'i'o ka'u e 'ōlelo aku nei iā 'oukou, inā he like ko 'oukou mana'o'i'o me kekahi hua mākeke, a 'ōlelo aku paha 'oukou i kēia mauna, 'E ne'e aku 'oe i 'ō,' a e ne'e aku nō ia; 'a'ole mea hiki 'ole iā 'oukou." **—Mataio 17:20**

For just as the body without *the* spirit is dead, so also faith without works is dead. **—James 2:26**

'Oia'i'o nō, 'o ke kino 'uhane 'ole, ua make nō ia, pēlā ho'i ka mana'o'i'o hana 'ole, ua make nō ia. **—Iakobo 2:26**

And without faith it is impossible to please *Him,* for he who comes to God must believe that He is and *that* He is a rewarder of those who seek Him. —**Hebrews 11:6**

Akā, he mea hiki ʻole ke hōʻoluʻolu i ke Akua me ka manaʻoʻiʻo ʻole; no ka mea, ʻo ka mea e hele ana i ke Akua, e pono nō e manaʻoʻiʻo ʻo ia, he mea ʻiʻo nō ia, a he Mea hoʻi e uku mai ana i ka poʻe i ʻimi ikaika iā ia. —**Hebera 11:6**

"You have faith and I have works; show me your faith without the works, and I will show you my faith by my works." —**James 2:18**

" ʻO ka manaʻoʻiʻo kou, a naʻu hoʻi ka hana ʻana; e hōʻike mai ʻoe iaʻu i kou manaʻoʻiʻo me kāu hana ʻole, a ma kaʻu hana ʻana e hōʻike aku ai au iā ʻoe i kuʻu manaʻoʻiʻo." —**Iakobo 2:18**

In addition to all, taking up the shield of faith with which you will be able to extinguish all the flaming arrows of the evil *one.* —**Ephesians 6:16**

Ma luna o ia mau mea a pau, e lawe hoʻi i ka ʻaʻahu a poʻo o ka manaʻoʻiʻo, i mea e hiki ai iā ʻoukou ke kinai iho i nā ihe wela a pau o ka mea ʻino. —**ʻEpeso 6:16**

"I have been crucified with Christ; and it is no longer I who live, but Christ lives in me; and the *life* which I now live in the flesh I live by faith in the Son of God, who loved me and gave Himself up for me." **—Galatians 2:20**

"Ua kau pū ʻia aku au me Kristo ma ke keʻa; ua ola nō hoʻi au, ʻaʻole naʻe ʻo wau iho; akā, e ola ana ʻo Kristo i loko oʻu; a ʻo ke ola e ola nei au i loko o ke kino, e ola ana au ma ka manaʻoʻiʻo aku i ke Keiki a ke Akua, nāna au i aloha mai, a hāʻawi maila iā ia iho noʻu." **—Galatia 2:20**

Now accept the one who is weak in faith, *but* not for *the purpose of* passing judgment on his opinions. **—Romans 14:1**

E launa aku ʻoukou i ka mea nāwaliwali i ka manaʻoʻiʻo ʻana, ʻaʻole hoʻi no ka hoʻokolokolo ʻana i kona mau manaʻo. **—Roma 14:1**

For in it *the* righteousness of God is revealed from faith to faith; as it is written, "BUT THE RIGHTEOUS *man* SHALL LIVE BY FAITH." **—Romans 1:17**

No ka mea, ua hōʻike ʻia mai i laila ko ke Akua hoʻāpono ʻana mai ma ka manaʻoʻiʻo, a i manaʻoʻiʻo; e like me ka mea i palapala ʻia, "ʻO KA MEA PONO, MA KA MANAʻOʻIʻO, E OLA IA." **—Roma 1:17**

So that the proof of your faith, *being* more precious than gold which is perishable, even though tested by fire, may be found to result in praise and glory and honor at the revelation of Jesus Christ. **—1 Peter 1:7**

I lilo hoʻi ka hoʻāʻo ʻana o ko ʻoukou manaʻoʻiʻo, ka mea i ʻoi aku ka maikaʻi ma mua o ke gula pau wale, i hoʻāʻo ʻia i ke ahi, i mea e mahalo ʻia ai, a e hoʻomaikaʻi ʻia ai, a e hoʻonani ʻia ai i ka wā e ʻikea mai ai ʻo Iesū Kristo. **—Petero I 1:7**

And though you have not seen Him, you love Him, and though you do not see Him now, but believe in Him, you greatly rejoice with joy inexpressible and full of glory. **—1 Peter 1:8**

Ka Mea a ʻoukou i ʻike maka ʻole ai, a ua makemake nō naʻe; a me ka ʻike ʻole aku iā ia, ua manaʻoʻiʻo aku nō naʻe ʻoukou iā ia me ka hauʻoli i ka ʻoliʻoli nani pau ʻole i ka haʻi ʻia aku. **—Petero I 1:8**

Family • ʻOhana

"Honor your father and your mother, that your days may be prolonged in the land which the LORD your God gives you." **—Exodus 20:12**

"E hoʻomaikaʻi ʻoe i kou makua kāne, a me kou makuahine; i lōʻihi ai kou mau lā ma luna o ka ʻāina a Iēhova a kou Akua i hāʻawi mai ai iā ʻoe." **—Puka ʻAna 20:12**

He must be one who manages his own household well, keeping his children under control with all dignity (but if a man does not know how to manage his own household, how will he take care of the church of God?).
—1 Timothy 3:4-5

E hoʻomalu maikaʻi ana i kona hale iho, me ka hoʻolohe pono ʻia mai e kāna mau keiki me ka hanohano. No ka mea, inā i ʻike ʻole ke kanaka i ka hoʻomalu ʻana i kona hale iho, pehea lā e hiki ai iā ia ke mālama i ka ʻekalesia o ke Akua? **—Timoteo I 3:4-5**

But if anyone does not provide for his own, and especially for those of his household, he has denied the faith and is worse than an unbeliever. **—1 Timothy 5:8**

A i hoʻolako ʻole kekahi i kona a me ko ka hale ponoʻī ona iho nō hoʻi, ua hōʻole ia i ka manaʻoʻiʻo, a ua ʻoi aku kona hewa i ko ka mea manaʻoʻiʻo ʻole. **—Timoteo I 5:8**

Your wife shall be like a fruitful vine
Within your house,
Your children like olive plants
Around your table. **—Psalm 128:3**

E like nō kāu wahine me nā kumu waina hua nui,
Ma nā ʻaoʻao o kou hale;
E like nō hoʻi kāu mau keiki me nā lāʻau ʻoliva,
E kū puni ana i kou papa ʻaina. **—Halelū 128:3**

Grandchildren are the crown of old men,
And the glory of sons is their fathers. **—Proverbs 17:6**

ʻO ka lei o ka poʻe ʻelemākule, ʻo ia nā keiki a nā keiki;
ʻO ka nani hoʻi o nā keiki, ʻo ia nā mākua kāne o lākou.
—Halelū 17:6

Do not sharply rebuke an older man, but *rather* appeal to *him* as a father, *to* the younger men as brothers, the older women as mothers, *and* the younger women as sisters, in all purity. **—1 Timothy 5:1-2**

Mai pāpā ikaika i ke kanaka kahiko; akā, e aʻo pono aku iā ia, me he makua kāne lā; a i ka poʻe uʻi hoʻi me he mau hoahānau lā; a i nā wāhine kahiko, me he mau mākuahine lā; a i nā kaikamāhine hoʻi me he mau kaikuāhine lā, me ka maʻemaʻe loa. **—Timoteo I 5:1-2**

So then, while we have opportunity, let us do good to all people, and especially to those who are of the household of the faith. **—Galatians 6:10**

No laila, e like me ko kākou manawa maopopo, pēlā e hana maikaʻi aku ai kākou i nā mea a pau, ʻoiaʻiʻo hoʻi i ka poʻe ʻohana manaʻoʻiʻo. **—Galatia 6:10**

Be devoted to one another in brotherly love; give preference to one another in honor. **—Romans 12:10**

E launa aku hoʻi kekahi i kekahi, ma ke aloha hoahānau; e hoʻopakela aku kekahi i kekahi ma ka hoʻomaikaʻi ʻana. **—Roma 12:10**

Fear • Makaʻu

There is no fear in love; but perfect love casts out fear, because fear involves punishment, and the one who fears is not perfected in love. **—1 John 4:18**

ʻAʻohe makaʻu i loko o ke aloha; akā, e kipaku ana ke aloha ʻoiaʻiʻo i ka makaʻu; no ka mea, he ʻehaʻeha ko ka makaʻu; ʻo ka mea makaʻu, ʻaʻole i hemolele ke aloha i loko ona. **—Ioane I 4:18**

For God has not given us a spirit of timidity, but of power and love and discipline. **—2 Timothy 1:7**

No ka mea, ʻaʻole ke Akua i hāʻawi mai iā kākou i ka manaʻo makaʻu; akā, ʻo ka wiwo ʻole, a me ke aloha, a me ka naʻauao. **—Timoteo II 1:7**

I sought the LORD, and He answered me,
And delivered me from all my fears. **—Psalm 34:4**

Ua ʻimi aku au iā Iēhova a ua hoʻolohe mai ia iaʻu;
Ua hoʻopakele mai ʻo ia iaʻu i kaʻu mau mea e makaʻu ai a pau. **—Halelū 34:4**

'Do not fear, for I am with you;
Do not anxiously look about you, for I am your God.
I will strengthen you, surely I will help you.' —**Isaiah 41:10**

ʻMai makaʻu ʻoe; no ka mea, ʻo wau pū nō me ʻoe;
Mai weliweli hoʻi; no ka mea, ʻo wau nō kou Akua.
Naʻu nō i hoʻoikaika aku iā ʻoe,
A naʻu hoʻi ʻoe i kōkua aku.' —**ʻIsaia 41:10**

My heart will not fear;
Though war arise against me,
In *spite of* this I shall be confident. —**Psalm 27:3**

ʻAʻole e makaʻu koʻu naʻau;
Inā e ʻeu kūʻē mai ke kaua iaʻu, ma kēia nō wau e hilinaʻi ai. —**Halelū 27:3**

When I am afraid,
I will put my trust in You. —**Psalm 56:3**

I koʻu manawa e makaʻu ai,
E hilinaʻi aku au iā ʻoe. —**Halelū 56:3**

The fear of man brings a snare,
But he who trusts in the LORD will be exalted.
—Proverbs 29:25

ʻO ka makaʻu i ke kanaka, he mea ia e hihia ai;
ʻO ka mea paulele iā Iēhova ua palekana ʻo ia.
—Na Solomona 29:25

"Do not fear those who kill the body but are unable to kill the soul; but rather fear Him who is able to destroy both soul and body in hell."**—Matthew 10:28**

"Mai makaʻu aku hoʻi ʻoukou i ka poʻe nāna e pepehi mai ke kino, ʻaʻole naʻe e hiki iā lākou ke pepehi i ka ʻuhane; akā, e makaʻu aku i ka mea nona ka mana e make ai ka ʻuhane a me ke kino i loko o Gehena."
—Mataio 10:28

The LORD is for me; I will not fear;
What can man do to me? **—Psalm 118:6**

ʻO Iēhova pū nō me aʻu, ʻaʻole au e makaʻu;
He aha ka mea a ke kanaka e hana mai ai iaʻu?
—Halelū 118:6

Forgiveness • Kala • Huikaka

“For this reason I say to you, her sins, which are many, have been forgiven, for she loved much; but he who is forgiven little, loves little.” —**Luke 7:47**

“No laila ho‘i, ke ‘ōlelo aku nei au iā ‘oe, ‘o nā hewa ona he nui loa, ua pau ia i ke kala ‘ia; no ka mea, i nui ai kona aloha; akā, ‘o ka mea iā ia ka mea ‘u‘uku i kala ‘ia, ‘o ia ke aloha ‘u‘uku.” —**Luka 7:47**

Then Peter came and said to Him, “Lord, how often shall my brother sin against me and I forgive him? Up to seven times?” Jesus *said to him, “I do not say to you, up to seven times, but up to seventy times seven.
—Matthew 18:21-22

A laila, hele akula ‘o Petero i ona lā, ‘ī akula, “E ka Haku, ‘ehia nā hana hewa ‘ana mai a ko‘u hoahānau ia‘u, a kala aku au iā ia? ‘Ehiku anei?” ‘Ōlelo maila ‘o Iesū iā ia, ke ‘ī aku nei au iā ‘oe, “‘A‘ole ‘ehiku wale nō; akā, he kanahiku hiku. —**Mataio 18:21-22**

Be kind to one another, tender-hearted, forgiving each other, just as God in Christ also has forgiven you.
—Ephesians 4:32

E lokomaikaʻi ʻoukou i kekahi i kekahi, e aloha aku me ka naʻau, e kala ana hoʻi kekahi i kekahi, e like me kā ke Akua i kala mai ai i ko ʻoukou ma o Kristo lā.
—ʻEpeso 4:32

So, as those who have been chosen of God, holy and beloved, put on a heart of compassion, kindness, humility, gentleness and patience. **—Colossians 3:12**

No laila hoʻi, me he poʻe i wae ʻia lā e ke Akua, i hoʻolaʻa ʻia, a i aloha ʻia hoʻi, e hoʻokomo ʻoukou i ka naʻau menemene, a i ka lokomaikaʻi, a i ka manaʻo haʻahaʻa, a i ke akahai, a me ke ahonui. **—Kolosa 3:12**

If we confess our sins, He is faithful and righteous to forgive us our sins and to cleanse us from all unrighteousness. **—1 John 1:9**

Inā e haʻi aku kākou i ko kākou hewa, he ʻoiaʻiʻo mai nō ke Akua a he lokomaikaʻi i ke kala mai i ko kākou hewa, a i ka hoʻomaʻemaʻe mai iā kākou mai nā mea pono ʻole a pau. **—Ioane I 1:9**

"Whenever you stand praying, forgive, if you have anything against anyone, so that your Father who is in heaven will also forgive you your transgressions." **—Mark 11:25**

"A i ko ʻoukou kū ʻana e pule, inā e hoʻomauhala ana ʻoukou i kekahi, e kala aku ʻoukou iā ia, i kala mai ai hoʻi ko ʻoukou Makua i loko o ka lani i ko ʻoukou hewa." **—Mareko 11:25**

"But I say to you who hear, love your enemies, do good to those who hate you, bless those who curse you, pray for those who mistreat you." **—Luke 6:27-28**

"Akā, ke kauoha aku nei au iā ʻoukou ka poʻe e lohe mai ana, e aloha aku i ko ʻoukou poʻe ʻenemi, e hana maikaʻi aku hoʻi i ka poʻe inaina mai iā ʻoukou. E hoʻomaikaʻi aku i ka poʻe i hōʻino mai iā ʻoukou, e pule aku hoʻi no ka poʻe i hoʻohewa wale mai iā ʻoukou." **—Luka 6:27-28**

"Though your sins are as scarlet,
They will be as white as snow." **—Isaiah 1:18**

"Inā paha i like ko ʻoukou hewa me nā kapa ʻula,
E keʻokeʻo auaneʻi ia me he hau lā." **—ʻIsaia 1:18**

For He rescued us from the domain of darkness, and transferred us to the kingdom of His beloved Son, in whom we have redemption, the forgiveness of sins.
—Colossians 1:13-14

Nāna hoʻi kākou i hoʻōla, mai ka mana mai o ka pouli, a ua lawe hoʻi ʻo ia iā kākou i loko o ke aupuni o kāna Keiki punahele; I loko ona ke ola no kākou i kona koko, ʻo ke kala ʻana aʻe o ka hewa. **—Kolosa 1:13-14**

Peter *said* to them, "Repent, and each of you be baptized in the name of Jesus Christ for the forgiveness of your sins; and you will receive the gift of the Holy Spirit."
—Acts 2:38

A laila ʻī maila ʻo Petero iā lākou, "E mihi, a e bapetizo ʻia ʻoukou a pau i loko o ka inoa ʻo Iesū Kristo, i kala ʻia mai nā hala, a e loaʻa iā ʻoukou ka haʻawina o ka ʻUhane Hemolele." **—ʻOihana 2:38**

For this is My blood of the covenant, which is poured out for many for forgiveness of sins. **—Matthew 26:28**

No ka mea, ʻo koʻu koko kēia no ke kauoha hou, i hoʻokahe ʻia no nā mea he nui loa, i mea e kala ʻia ai nā hala. **—Mataio 26:28**

Freedom • Kūʻokoʻa • Noa

It was for freedom that Christ set us free; therefore keep standing firm and do not be subject again to a yoke of slavery. **—Galatians 5:1**

No ia mea, e kūpaʻa ʻoukou i loko a ke ola a Kristo i hoʻōla mai ai iā kākou, ʻaʻole hoʻi e paʻa hou ʻoukou ma lalo o ka ʻauamo hoʻoluhi. **—Galatia 5:1**

Now the Lord is the Spirit, and where the Spirit of the Lord is, *there* is liberty. **—2 Corinthians 3:17**

A ʻo ka Haku, ʻo ia ka ʻUhane; a ma kahi e noho ai ka ʻUhane o ka Haku, ua noa ia wahi. **—Korineto II 3:17**

Act as free men, and do not use your freedom as a covering for evil, but *use it* as bondslaves of God. **—1 Peter 2:16**

Me he poʻe kauā ʻole lā, ʻaʻole naʻe e hoʻolilo ana i ko ʻoukou hoʻokauā ʻole ʻia i mea e uhi ai i ka hewa; akā, e like me nā kauā a ke Akua. **—Petero I 2:16**

For you were called to freedom, brethren; only *do* not *turn* your freedom into an opportunity for the flesh, but through love serve one another. —**Galatians 5:13**

E nā hoahānau, ua hea ʻia ʻoukou ma ka luhi ʻole; mai hoʻolilo naʻe ʻoukou i ua luhi ʻole lā i mea no ke kino; akā, ma ke aloha e mālama aku kekahi i kekahi.
—**Galatia 5:13**

But now having been freed from sin and enslaved to God, you derive your benefit, resulting in sanctification, and the outcome, eternal life. —**Romans 6:22**

ʻĀnō hoʻi, ua hoʻokaʻawale ʻia aʻe ʻoukou mai ka hewa aʻe a lilo hoʻi i mau kauā na ke Akua, ua loaʻa iā ʻoukou kā ʻoukou hua i ka pono, a ʻo ka hope, ke ola mau loa.
—**Roma 6:22**

"If you continue in My word, *then* you are truly disciples of Mine; and you will know the truth, and the truth will make you free." —**John 8:31-32**

"Inā e hoʻomau ʻoukou ma kaʻu ʻōlelo, a laila he poʻe haumāna ʻiʻo ʻoukou naʻu. A e ʻike auaneʻi ʻoukou i ka ʻoiaʻiʻo, a ʻo ka ʻoiaʻiʻo e kuʻu aku iā ʻoukou."
—**Ioane 8:31-32**

Friendship • Hoaloha Pilialoha

Do not associate with a man *given* to anger;
Or go with a hot-tempered man,
Or you will learn his ways
And find a snare for yourself. —**Proverbs 23:24-25**

Mai hoʻolauna aku ʻoe me ka mea huhū,
A me ke kanaka inaina hoʻi, mai hele pū ʻoe;
O aʻo iho ʻoe i kona mau ʻaoʻao,
A loaʻa i kou ʻuhane ka hihia. —**Na Solomona 23:24-25**

"Greater love has no one than this, that one lay down his life for his friends." —**John 15:13**

"ʻAʻole ko kekahi kanaka aloha i ʻoi aku i kēia, ʻo ka waiho aku a kekahi i kona ola no kona mau hoaaloha."
—**Ioane 15:13**

Therefore encourage one another and build up one another, just as you also are doing. **—1 Thessalonians 5:11**

No laila e hōʻoluʻolu pū ai ʻoukou iā ʻoukou iho, a e hoʻokūkulu kekahi i kekahi, e like me kā ʻoukou hana ʻana nō. **—Tesalonike I 5:11**

A man of *too many* friends *comes* to ruin,
But there is a friend who sticks closer than a brother.
—Proverbs 18:24

ʻO ke kanaka i nui nā hoalauna, e pōʻino ʻo ia ma laila;
Akā, ʻo kekahi hoaaloha ua ʻoi aku kona pipili ʻana ma mua o ko ka hoahānau. **—Na Solomona 18:24**

Do not be deceived: "Bad company corrupts good morals." **—1 Corinthians 15:33**

E ao o hoʻopunipuni ʻia ʻoukou; " ʻO ka launa aku i ka hewa, ka mea e ʻino ai ka noho pono ʻana." **—Korineto I 15:33**

Iron sharpens iron,
So one man sharpens another. **—Proverbs 27:17**

Hoʻokala kahi mea hao i kekahi mea hao,
Hoʻokala hoʻi ke kanaka i ka maka o kona hoalauna.
—Na Solomona 27:17

"For the despairing man *there should be* kindness from
his friend;
So that he does not forsake the fear of the Almighty."
—Job 6:14

"'O ka mea 'eha'eha e aloha 'ia 'o ia e kona hoalauna;
Akā, ua ha'alele aku ia i ka maka'u i ka Mea Mana."
—Ioba 6:14

A perverse man spreads strife,
And a slanderer separates intimate friends. **—Proverbs 16:28**

'O ke kanaka ho'opa'apa'a, hō'eu'eu 'o ia i ka hakakā;
A 'o ka mea holoholo 'ōlelo, ho'oka'awale nō ia i nā
makamaka. **—Na Solomona 16:28**

Be devoted to one another in brotherly love; give
preference to one another in honor. **—Romans 12:10**

E launa aku ho'i kekahi i kekahi, ma ke aloha hoahānau;
e ho'opakela aku kekahi i kekahi ma ka ho'omaika'i
'ana. **—Roma 12:10**

Generosity • Manawale‘a

One who is gracious to a poor man lends to the LORD,
And He will repay him for his good deed. —**Proverbs 19:17**

‘O ka mea manawale‘a aku i ka ‘ilihune, hā‘awi aku ‘o ia na Iēhova;
A ‘o kāna mea i hā‘awi ai, na kēlā nō e ho‘iho‘i mai iā ia.
—**Na Solomona 19:17**

“In everything I showed you that by working hard in this manner you must help the weak and remember the words of the Lord Jesus, that He Himself said, ‘It is more blessed to give than to receive.’” —**Acts 20:35**

“Ua hō‘ike aku nō au iā ‘oukou, i nā mea a pau, a pēlā ho‘i e pono ai ke hana ‘oukou, a e kōkua aku nō ho‘i i ka po‘e palupalu; e mana‘o nō ho‘i i ka ‘ōlelo a ka Haku, a Iesū, i kāna ‘ī ‘ana mai, Ua ‘oi aku ka pōmaika‘i o ka hā‘awi ‘ana aku ma mua o ka loa‘a ‘ana mai.”
—**‘Oihana 20:35**

The generous man will be prosperous,
And he who waters will himself be watered.
—**Proverbs 11:25**

ʻO ka mea e hoʻomanawaleʻa aku, e momona ia;
A ʻo ka mea e hoʻomāʻūʻū aku, e hoʻomāʻūʻū ʻia mai ʻo ia. —**Na Solomona 11:25**

Each one *must do* just as he has purposed in his heart, not grudgingly or under compulsion, for God loves a cheerful giver. —**2 Corinthians 9:7**

E like me ka manaʻo ʻana o kēlā mea kēia mea i loko o kona naʻau, pēlā ia e hāʻawi aku ai, ʻaʻole me ka minamina, ʻaʻole hoʻi me he mea lā i ʻauhau ʻia; no ka mea, ke aloha mai nei nō ke Akua i ka mea nāna e hāʻawi ʻoluʻolu aku. —**Korineto II 9:7**

He who is generous will be blessed,
For he gives some of his food to the poor. —**Proverbs 22:9**

ʻO ka mea maka lokomaikaʻi, e hoʻomaikaʻi ʻia ʻo ia;
No ka mea, ua hāʻawi wale ia i kekahi o kāna berena i ka mea nele. —**Na Solomona 22:9**

He who shuts his ear to the cry of the poor
Will also cry himself and not be answered. **—Proverbs 21:13**

ʻO ka mea i papani i kona pepeiao i ka uē ʻana o ka mea nele,
E hea aku nō ʻo ia, ʻaʻohe mea e hoʻolohe mai.

—Na Solomona 21:13

Instruct them to do good, to be rich in good works, to be generous and ready to share, storing up for themselves the treasure of a good foundation for the future, so that they may take hold of that which is life indeed.
—1 Timothy 6:18-19

E hana maikaʻi hoʻi lākou, i lako hoʻi lākou i nā hana maikaʻi, i mākaukau hoʻi i ka hāʻawi wale aku me ka lokomaikaʻi; e hoʻāhu ana i kumu maikaʻi na lākou iho, no ka manawa e hiki mai ana, i paʻa aku ai lākou i ke ola mau loa. **—Timoteo I 6:18-19**

And do not neglect doing good and sharing, for with such sacrifices God is pleased. **—Hebrews 13:16**

Mai hoʻopoina hoʻi i ka hana lokomaikaʻi aku, a me ka manawaleʻa aku; no ka mea, ʻo kā ke Akua mau mōhai ia e ʻoluʻolu nui ai. **—Hebera 13:16**

"Bring the whole tithe into the storehouse, so that there may be food in My house, and test Me now in this," says the LORD of hosts, "if I will not open for you the windows of heaven and pour out for you a blessing until it overflows." **—Malachi 3:10**

"E lawe mai i nā waiwai hapaʻumi a pau i loko o ka hale ahu waiwai, i ʻai ma loko o koʻu hale; a e hoʻāʻo mai ʻoukou iaʻu ma ia mea," wahi a Iēhova o nā kaua, "i wehe ai paha au i nā puka wai o ka lani, a e ninini iho i ka pōmaikaʻi ma luna o ʻoukou, a lawa a hū." **—Malaki 3:10**

He who gives to the poor will never want,
But he who shuts his eyes will have many curses.
—Proverbs 28:27

ʻO ka mea hāʻawi wale na ka mea ʻilihune, ʻaʻole ʻo ia e nele;
A ʻo ka mea i uhi aʻe i kona mau maka, e nui kona hōʻino ʻia mai. **—Na Solomona 28:27**

Gentleness • Akahai • Mālie

Even if anyone is caught in any trespass, you who are spiritual, restore such a one in a spirit of gentleness; *each one* looking to yourself, so that you too will not be tempted. —**Galatians 6:1**

A i lo‘ohia wale ke kanaka e kekahi hewa, na ‘oukou ka po‘e ma ka ‘uhane, e ho‘iho‘i mai iā ia me ka na‘au akahai; a me ka mālama iā ‘oe iho, o lilo ho‘i ‘oe i ka ho‘owalewale ‘ia. —**Galatia 6:1**

Therefore I, the prisoner of the Lord, implore you to walk in a manner worthy of the calling with which you have been called, with all humility and gentleness, with patience, showing tolerance for one another in love. —**Ephesians 4:1-2**

No ia mea, ‘o wau ka pa‘ahao no ka Haku, ke nonoi aku nei iā ‘oukou, e hele ‘oukou ma ka mea e kū i ke koho ‘ana a ‘oukou i koho ‘ia mai ai. Me ka ha‘aha‘a nui o ka na‘au, a me ke akahai, a me ka ho‘omanawanui ho‘i, a e ahonui aku kekahi i kekahi me ke aloha. —**‘Epeso 4:1-2**

To malign no one, to be peaceable, gentle, showing every consideration for all men. —**Titus 3:2**

ʻAʻole e ʻōlelo ʻino hoʻi iā haʻi, e hakakā ʻole, e akakuʻu, e hōʻike ana i ke akahai i nā kānaka a pau.
—**Tito 3:2**

You have also given me the shield of Your salvation,
And Your right hand upholds me;
And Your gentleness makes me great. —**Psalm 18:35**

Ua hāʻawi mai ʻoe iaʻu i kou pākū e ola ai;
Ua hoʻokūpaʻa mai iaʻu kou lima ʻākau?
A ʻo kou ahonui kai hoʻomakua mai nei iaʻu.—**Halelū 18:35**

Be kind to all, able to teach, patient when wronged, with gentleness correcting those who are in opposition.
—**2 Timothy 2:24-25**

E akahai i nā mea a pau, e akamai hoʻi i ke aʻo aku, e ahonui i ka ʻino; e aʻo hoʻohaʻahaʻa aku ana i ka poʻe i kūʻē mai. —**Timoteo II 2:24-25**

"Take My yoke upon you and learn from Me, for I am gentle and humble in heart, and YOU WILL FIND REST FOR YOUR SOULS." **—Matthew 11:29**

"E amo ʻoukou i kaʻu ʻauamo ma luna iho o ʻoukou, a e aʻo ʻia ʻoukou e aʻu; no ka mea, ua akahai au, ua haʻahaʻa kuʻu naʻau, a E LOAʻA IĀ ʻOUKOU KA MAHA NO KO ʻOUKOU MAU ʻUHANE." **—Mataio 11:29**

Pleasant words are a honeycomb,
Sweet to the soul and healing to the bones. **—Proverbs 16:24**

He mea ʻono nā ʻōlelo ʻoluʻolu,
He ʻono i ka ʻuhane, a he ola i ka iwi. **—Na Solomona 16:24**

So, as those who have been chosen of God, holy and beloved, put on a heart of compassion, kindness, humility, gentleness and patience. **—Colossians 3:12**

No laila hoʻi, me he poʻe i wae ʻia lā e ke Akua, i hoʻolaʻa ʻia, a i aloha ʻia hoʻi, e hoʻokomo ʻoukou i ka naʻau menemene, a i ka lokomaikaʻi, a i ka manaʻo haʻahaʻa, a i ke akahai, a me ke ahonui. **—Kolosa 3:12**

Grace • Lokomaikaʻi • Aloha

But by the grace of God I am what I am, and His grace toward me did not prove vain; but I labored even more than all of them, yet not I, but the grace of God with me.
—1 Corinthians 15:10

Akā, ua lilo wau i koʻu mea i lilo ai, ma ka lokomaikaʻi wale o ke Akua; ʻaʻole hoʻi i makehewa kona lokomaikaʻi mai ma luna oʻu; no ka mea, ua pākela aku koʻu hoʻoikaika ʻana ma mua o lākou a pau. ʻAʻole hoʻi wau, ʻo ka lokomaikaʻi nō o ke Akua i loko oʻu.
—Korineto I 15:10

"And now I commend you to God and to the word of His grace, which is able to build *you* up and to give *you* the inheritance among all those who are sanctified."
—Acts 20:32

"E nā hoahānau, ʻānō lā, ke hāʻawi aku nei au iā ʻoukou i ke Akua, a i ka ʻōlelo o kona lokomaikaʻi, i ka mea hiki ke hoʻokūpaʻa iā ʻoukou, a me ka hāʻawi iā ʻoukou i hoʻoilina ma waena o ka poʻe a pau i hoʻomaʻemaʻe ʻia." **—ʻOihana 20:32**

For by grace you have been saved through faith; and that not of yourselves, *it is* the gift of God. —**Ephesians 2:8**

No ka mea, e hoʻōla ʻia ʻoukou i ka lokomaikaʻi ma ka manaʻoʻiʻo; ʻaʻole hoʻi no ʻoukou iho kēia; he mea hāʻawi ʻia mai ia e ke Akua. —**ʻEpeso 2:8**

But grow in the grace and knowledge of our Lord and Savior Jesus Christ. —**2 Peter 3:18**

E hoʻoikaika ʻoukou, i māhuahua ke aloha ʻia mai, a me ko ʻoukou ʻike ʻana aku i ko kākou Haku a Hoʻōla hoʻi iā Iesū Kristo. —**Petero II 3:18**

Do not be carried away by varied and strange teachings; for it is good for the heart to be strengthened by grace. —**Hebrews 13:9**

Mai hoʻohuli ʻia ʻoukou ma ʻō a ma ʻō e kēlā ʻōlelo a e kēia ʻōlelo ʻē; no ka mea, he mea pono ke hoʻokūpaʻa ʻia ka naʻau ma ka pono ʻiʻo. —**Hebera 13:9**

Therefore let us draw near with confidence to the throne of grace, so that we may receive mercy and find grace to help in time of need. **—Hebrews 4:16**

No laila, e hoʻokokoke aku kākou ma ka noho aliʻi aloha me ka manaʻolana, i aloha ʻia mai kākou, a i loaʻa hoʻi ka lokomaikaʻi e kōkua mai ai i ka wā pōpilikia. **—Hebera 4:16**

And God is able to make all grace abound to you, so that always having all sufficiency in everything, you may have an abundance for every good deed. **—2 Corinthians 9:8**

A e hiki nō i ke Akua ke hoʻonui aʻe i nā mea maikaʻi a pau iā ʻoukou; i lako mau ʻoukou i nā mea a pau, i māhuahua kā ʻoukou hana maikaʻi ʻana ma nā mea a pau. **—Korineto II 9:8**

See to it that no one comes short of the grace of God; that no root of bitterness springing up causes trouble, and by it many be defiled. **—Hebrews 12:15**

E mālama hoʻi ʻoukou o loaʻa ʻole mai i kekahi ka hoʻomaikaʻi ʻia mai e ke Akua, o kupu mai hoʻi kekahi mole ʻawaʻawa i waena o ʻoukou e hihia ai ʻoukou, a e haumia ai hoʻi kekahi poʻe he nui nō. **—Hebera 12:15**

Gratitude • Mahalo nunui

I will give thanks to You, O Lord my God, with all my heart,
And will glorify Your name forever. —**Psalm 86:12**

E hoʻoleʻa aku nō au iā ʻoe, e ka Haku, koʻu Akua, me koʻu naʻau a pau;
A e hoʻonani mau loa aku i kou inoa. —**Halelū 86:12**

In everything give thanks; for this is God's will for you in Christ Jesus. —**1 Thessalonians 5:18**

Ma nā mea a pau e hoʻomaikaʻi aku ai; no ka mea, ʻo ia ko ke Akua manaʻo i loko o Kristo Iesū iā ʻoukou.
—**Tesalonike I 5:18**

"He who offers a sacrifice of thanksgiving honors Me;
And to him who orders *his* way *aright*
I shall show the salvation of God." —**Psalm 50:23**

" ʻO ka mea mōhai i ka hoʻoleʻa noʻu ʻo ia ke hoʻonani mai iaʻu;
ʻO ka mea hoʻopono i kona hele ʻana ʻo kaʻu ia e hōʻike ai i ke ola o ke Akua." —**Halelū 50:23**

This is the day which the LORD has made;
Let us rejoice and be glad in it. **—Psalm 118:24**

ʻO kēia nō ka lā a Iēhova i hana ai,
E hauʻoli kākou, a e leʻaleʻa i laila. **—Halelū 118:24**

Let the word of Christ richly dwell within you, with all wisdom teaching and admonishing one another with psalms *and* hymns *and* spiritual songs, singing with thankfulness in your hearts to God. **—Colossians 3:16**

A e noho lako mai ka ʻōlelo a Kristo i loko o ʻoukou, me ka naʻauao loa; e aʻo ana a e hoʻonaʻauao ana hoʻi kekahi i kekahi i nā halelū, a me nā hīmeni, a me nā mele ma ka ʻUhane, e ʻoli ana i ka Haku me ka maikaʻi i loko o ko ʻoukou naʻau. **—Kolosa 3:16**

Give thanks to the LORD, for He is good;
For His lovingkindness is everlasting. **—Psalm 118:29**

E mililani aku iā Iēhova; no ka mea, ua maikaʻi ʻo ia;
Ua mau loa hoʻi kona lokomaikaʻi. **—Halelū 118:29**

Therefore as you have received Christ Jesus the Lord, *so* walk in Him, having been firmly rooted *and now* being built up in Him and established in your faith, just as you were instructed, *and* overflowing with gratitude.
—Colossians 2:6-7

No laila ho'i, no ka loa'a 'ana mai o Kristo iā 'oukou, e hele 'oukou i loko ona; i ho'okumu 'ia, a i ho'okūkulu 'ia i loko ona, a me ka ho'omau 'ia i ka mana'o'i'o i hō'ike 'ia mai iā 'oukou, a ma laila e ho'omāhuahua a'e ia me ka ho'omaika'i aku. **—Kolosa 2:6-7**

Every good thing given and every perfect gift is from above, coming down from the Father of lights, with whom there is no variation or shifting shadow. **—James 1:17**

'O nā ha'awina maika'i a pau a me nā makana hemolele a pau, no luna mai ia i iho mai ai no ka Makua mai o ka mālamalama, 'a'ole ona 'ano hou, 'a'ole loa ia e luli iki.
—Iakobo 1:17

Therefore, since we receive a kingdom which cannot be shaken, let us show gratitude, by which we may offer to God an acceptable service with reverence and awe.
—Hebrews 12:28

No laila, i ka loaʻa ʻana iā kākou ke aupuni e hoʻonāueue ʻole ʻia, e hoʻopaʻa kākou i ke aloha, ka mea e pono ai ko kākou mālama ʻana i ke Akua, me ka mahalo, a me ka weliweli pono. **—Hebera 12:28**

The LORD is my strength and my shield;
My heart trusts in Him, and I am helped;
Therefore my heart exults,
And with my song I shall thank Him. **—Psalm 28:7**

ʻO Iēhova kuʻu ikaika a me kuʻu pale kaua;
Iā ia i hilinaʻi ai kuʻu naʻau, a ua kōkua ʻia mai au;
No laila i hauʻoli nui ai kuʻu naʻau,
A ma kuʻu mele e hoʻoleʻa aku ai au iā ia. **—Halelū 28:7**

Give thanks to the LORD, for He is good,
For His lovingkindness is everlasting. **—Psalm 136:1**

E mililani aku iā Iēhova; no ka mea, ua maikaʻi ʻo ia;
No ka mea hoʻi, ua mau loa kona lokomaikaʻi.
—Halelū 136:1

Greed • ʻĀlunu • Puni waiwai

He who profits illicitly troubles his own house,
But he who hates bribes will live. —**Proverbs 15:27**

ʻO ka mea makeʻe waiwai, hana ʻino loa ʻo ia i ko kona hale;
A ʻo ka mea hoʻowahāwahā i nā makana, e ola ia.
—**Na Solomona 15:27**

But those who want to get rich fall into temptation and a snare and many foolish and harmful desires which plunge men into ruin and destruction. —**1 Timothy 6:9**

Akā, ʻo ka poʻe e makemake ana i ka waiwai nui, ua hāʻule lākou i loko o ka hoʻowalewale ʻia a me ka pahele, a i loko o kēlā kuko lapuwale kēia kuko lapuwale e pono ʻole ai, nā mea e paholo ai nā kānaka i ka pōʻino, a me ka make. —**Timoteo I 6:9**

"For what does it profit a man to gain the whole world, and forfeit his soul?" —**Mark 8:36**

"He aha lā uaneʻi ko ke kanaka pōmaikaʻi ke loaʻa iā ia ke ao nei a pau, a lilo aku kona ʻuhane?" —**Mareko 8:36**

"Beware, and be on your guard against every form of greed; for not *even* when one has an abundance does his life consist of his possessions." **—Luke 12:15**

"E manaʻo, a e mālama iā ʻoukou iho i ka puni waiwai; no ka mea, ʻaʻole no ka nui o ko ke kanaka waiwai kona ola ʻana." **—Luka 12:15**

There is one who scatters, and *yet* increases all the more,
And there is one who withholds what is justly due, *and yet it results* only in want. **—Proverbs 11:24**

Hoʻohelele‘i kekahi, a nui hou aʻe nō naʻe;
ʻAuʻa hoʻi kekahi i ka mea kū ʻole i ka pono, a ʻo ka nele ka hope. **—Na Solomona 11:24**

You ask and do not receive, because you ask with wrong motives, so that you may spend *it* on your pleasures. **—James 4:3**

Ke noi nei ʻoukou, me ka loaʻa ʻole; no ka mea, ua noi pono ʻole ʻoukou, i pau ai ia mea ma ko ʻoukou mau kuko. **—Iakobo 4:3**

For the wicked boasts of his heart's desire,
And the greedy man curses *and* spurns the LORD.
—Psalm 10:3

No ka mea, ua hoʻokelakela ka mea hewa i ka makemake o kona naʻau,
A i ke kō ʻana, ua hoʻomaikaʻi, a ua hoʻowahāwahā aku iā Iēhova. **—Halelū 10:3**

A man with an evil eye hastens after wealth
And does not know that want will come upon him.
—Proverbs 28:22

ʻO ka mea hoʻoikaika ma ka waiwai, he maka ʻino kona,
ʻAʻole ʻo ia e ʻike ʻo ka ʻilihune kāna mea e loaʻa ai.
—Na Solomona 28:22

He who oppresses the poor to make more for himself
Or who gives to the rich, *will* only *come to* poverty.
—Proverbs 22:16

ʻO ka mea hoʻokaumaha i ka mea ʻilihune i mea e hoʻomāhuahua ai i kāna iho,
A ʻo ka mea hāʻawi no ka mea waiwai, e nele ʻiʻo nō lāua a ʻelua. **—Na Solomona 22:16**

Grief and Mourning
Kaumaha • ʻEhaʻeha • ʻŪ

"And He will wipe away every tear from their eyes; and there will no longer be *any* death; there will no longer be *any* mourning, or crying, or pain; the first things have passed away." **—Revelation 21:4**

"A na ke Akua nō e holoi i nā waimaka a pau, mai ko lākou maka aku; ʻaʻole he make hou aku, ʻaʻole kaumaha, ʻaʻole uē, ʻaʻole hoʻi he mea e ʻeha ai; no ka mea, ua pau nā mea kahiko i ka lilo aku." **—Hōʻike ʻAna 21:4**

"Blessed are those who mourn, for they shall be comforted." **—Matthew 5:4**

"Pōmaikaʻi ka poʻe e ʻū ana; no ka mea, e hōʻoluʻolu ʻia aku lākou." **—Mataio 5:4**

He heals the brokenhearted
And binds up their wounds. **—Psalm 147:3**

Hoʻomaha mai nō ʻo ia i ka poʻe naʻau haehae,
A wahī nō hoʻi ʻo ia i ko lākou mau ʻeha. **—Halelū 147:3**

"Therefore you too have grief now; but I will see you again, and your heart will rejoice, and no one *will* take your joy away from you." **—John 16:22**

"A he ʻehaʻeha ko ʻoukou i kēia manawa; akā, e ʻike hou auaneʻi au iā ʻoukou, a ʻoliʻoli ko ʻoukou naʻau, ʻaʻole kekahi e kāʻili aku i ko ʻoukou ʻoliʻoli mai o ʻoukou aku."
—Ioane 16:22

The LORD is near to the brokenhearted
And saves those who are crushed in spirit. **—Psalm 34:18**

Kokoke mai nō ʻo Iēhova i ka poʻe naʻau palupalu;
A hoʻōla nō hoʻi ʻo ia i nā mea ʻuhane mihi. **—Halelū 34:18**

"I am the resurrection and the life; he who believes in Me will live even if he dies, and everyone who lives and believes in Me will never die." **—John 11:25-26**

"ʻʻO wau nō ke ala hou ʻana, a me ke ola; ʻo ka mea e manaʻoʻiʻo mai iaʻu, inā e make ia, e ola hou auaneʻi ʻo ia. ʻO ka mea e ola ana, a e manaʻoʻiʻo mai iaʻu, ʻaʻole loa ia e make." **—Ioane 11:25-26**

Helping Those in Need
Kōkua iā ka poʻe pono

Let love of the brethren continue. Do not neglect to show hospitality to strangers, for by this some have entertained angels without knowing it. —**Hebrews 13:1-2**

E mau aku hoʻi ke aloha hoahānau. Mai hoʻōki i ka hoʻokipa; no ka mea, ma laila nō kekahi poʻe i hoʻokipa ai i nā ʻānela me ka ʻike ʻole aku. —**Hebera 13:1-2**

"You shall not harden your heart, nor close your hand from your poor brother; but you shall freely open your hand to him, and shall generously lend him sufficient for his need *in* whatever he lacks." —**Deuteronomy 15:7-8**

"Mai hoʻopaʻakikī ʻoe i kou naʻau, ʻaʻole hoʻi e ʻauʻa kou lima no kou hoahānau ʻilihune; akā, e wehe loa ʻoe i kou lima iā ia, a e hāʻawi ʻiʻo aku iā ia i ka mea e pono ai kona nele, āna i hemahema ai." —**Kānāwai Lua 15:7-8**

Bear one another's burdens, and thereby fulfill the law of Christ. —**Galatians 6:2**

E hali kekahi o ʻoukou i nā mea kaumaha a kekahi, pēlā ʻoukou e hoʻokō ai i ke kānāwai o Kristo. —**Galatia 6:2**

"Sell your possessions and give to charity; make yourselves money belts which do not wear out, an unfailing treasure in heaven, where no thief comes near nor moth destroys." **—Luke 12:33**

"E kū'ai lilo aku i ko 'oukou waiwai, a e hā'awi manawale'a aku. E ho'olakolako iā 'oukou iho i mau 'a'a moni nāhaehae 'ole, i waiwai pau 'ole ma ka lani, kahi hiki 'ole ai i ka 'aihue, kahi e 'ino 'ole ai i ka mū." **—Luka 12:33**

"Give to everyone who asks of you, and whoever takes away what is yours, do not demand it back." **—Luke 6:30**

"E hā'awi ho'i 'oe i kēlā mea i kēia mea ke noi mai iā 'oe. A i ka mea lawe aku i kou waiwai, mai noi hou aku 'oe." **—Luka 6:30**

'Nor shall you glean your vineyard, nor shall you gather the fallen fruit of your vineyard; you shall leave them for the needy and for the stranger.' **—Leviticus 19:10**

'Mai 'ohi loa i ko kāu māla waina, 'a'ole ho'i 'oe e hō'ili'ili i nā hua waina a pau loa o kāu māla waina; e waiho nō 'oe ia mau mea na ka mea 'ilihune, a me ka malihini.' **—'Oihana Kahuna 19:10**

He who oppresses the poor taunts his Maker,
But he who is gracious to the needy honors Him.
—Proverbs 14:31

ʻO ka mea hoʻokaumaha i ka mea nele, ʻo ia kai hoʻowahāwahā i ka Mea nāna ia i hana;
ʻO ka mea mālama aku iā ia, ʻo ia ke aloha i ka mea ʻilihune. **—Na Solomona 14:31**

"You shall generously give to him, and your heart shall not be grieved when you give to him, because for this thing the LORD your God will bless you in all your work and in all your undertakings." **—Deuteronomy 15:10**

"E ʻoiaʻiʻo nō, e hāʻawi aku ʻoe nāna, ʻaʻole e minamina kou naʻau i kou hāʻawi ʻana aku nāna; no ka mea, ʻo ia ka mea e hoʻopōmaikaʻi mai ai ʻo Iēhova kou Akua iā ʻoe ma kāu hana ʻana a pau, a ma nā mea a pau a kou lima e lawe ai." **—Kānāwai Lua 15:10**

We know love by this, that He laid down His life for us; and we ought to lay down our lives for the brethren.
—1 John 3:16

No ia mea, ua ʻike kākou i ke aloha; no ka mea, ua waiho ihola ʻo ia i kona ola no kākou; a he mea pono nō hoʻi iā kākou, ke waiho aʻe i ko kākou ola no ka poʻe hoahānau. **—Ioane I 3:16**

"But when you give a reception, invite *the* poor, *the* crippled, *the* lame, *the* blind, and you will be blessed, since they do not have *the means* to repay you; for you will be repaid at the resurrection of the righteous."
—Luke 14:13-14

"Akā, i ka wā e hana ai ʻoe i ka ʻahaʻaina, e kiʻi aku ʻoe i ka poʻe ʻilihune, i ka poʻe mumuku, i ka poʻe ʻoʻopa, a me ka poʻe makapō; a e pōmaikaʻi auaneʻi ʻoe; no ka mea, ʻaʻole a lākou mea e uku mai ai iā ʻoe; no ka mea hoʻi, e uku ʻia nō ʻoe i ke ala hou ʻana o ka poʻe pono."
—Luka 14:13-14

"And if you give yourself to the hungry
And satisfy the desire of the afflicted,
Then your light will rise in darkness
And your gloom *will become* like midday." **—Isaiah 58:10**

"Inā hū aku kou ʻuhane i ka poʻe pōloli,
A hoʻomāʻona hoʻi ʻoe i ka ʻuhane o ka poʻe pōpilikia;
A laila, e puka mai nō kou mālamalama ma loko o ka pouli,
A e like auaneʻi kou pouli me ke awakea." **—ʻIsaia 58:10**

Honesty • Pono • Kūpono Hoʻokamani ʻole

Lying lips are an abomination to the LORD,
But those who deal faithfully are His delight.
—Proverbs 12:22

He mea hoʻopailua iā Iēhova nā lehelehe hoʻopunipuni;
ʻO ka poʻe hana ma ka ʻoiaʻiʻo, ʻo ia kona ʻoliʻoli.
—Na Solomona 12:22

Better is a poor man who walks in his integrity
Than he who is perverse in speech and is a fool.
—Proverbs 19:1

Maikaʻi ka mea ʻilihune i hele ma kona pololei,
Ma mua o ka mea lehelehe wahaheʻe, a lapuwale hoʻi.
—Na Solomona 19:1

For we have regard for what is honorable, not only in the sight of the Lord, but also in the sight of men.
—2 Corinthians 8:21

E hoʻomanaʻo ʻē ana i nā mea maikaʻi, ʻaʻole i mua o ke Akua wale nō, i mua hoʻi o kānaka. **—Korineto II 8:21**

"THE ONE WHO DESIRES LIFE, TO LOVE AND SEE GOOD DAYS,
MUST KEEP HIS TONGUE FROM EVIL AND HIS LIPS FROM SPEAKING DECEIT." —**1 Peter 3:10**

"'O KA MEA MANA'O E PŌMAIKA'I I KONA WĀ E OLA NEI, A E 'IKE I NĀ LĀ 'OLU'OLU,
UA OKI KONA ALELO KE PANE AKU I KA HEWA, A ME KONA LEHELEHE I KA 'ŌLELO 'ANA I KA 'APA'APA." —**Petero I 3:10**

A perverse man spreads strife,
And a slanderer separates intimate friends. —**Proverbs 16:28**

'O ke kanaka ho'opa'apa'a, hō'eu'eu 'o ia i ka hakakā;
A 'o ka mea holoholo 'ōlelo, ho'oka'awale nō ia i nā makamaka. —**Na Solomona 16:28**

He who speaks truth tells what is right,
But a false witness, deceit. —**Proverbs 12:17**

'O ka mea ha'i aku i ka 'oia'i'o, hō'ike 'o ia i ka pono;
A 'o ka hō'ike wahahe'e ho'i, hō'ike 'o ia i ka ho'opunipuni. —**Na Solomona 12:17**

He who steals must steal no longer; but rather he must labor, performing with his own hands what is good, so that he will have *something* to share with one who has need. **—Ephesians 4:28**

ʻO ka mea i ʻaihue, mai ʻaihue hou aku ia; akā hoʻi, e hana ia, e hoʻoikaika ana me nā lima i ka mea maikaʻi, i loaʻa ai iā ia ka mea e hāʻawi aku na ka mea nele.

—ʻEpeso 4:28

Little children, let us not love with word or with tongue, but in deed and truth. **—1 John 3:18**

E nā pōkiʻi oʻu, mai aloha kākou ma ka waha, ʻaʻole hoʻi ma ke alelo wale nō; akā, ma ka hana ʻana a me ka ʻoiaʻiʻo. **—Ioane I 3:18**

Like a club and a sword and a sharp arrow
Is a man who bears false witness against his neighbor.

—Proverbs 25:18

ʻO ka hāmare a me ka pahi kaua a me ka pua ʻoiʻoi,
ʻO ia ke kanaka hōʻike wahaheʻe no kona hoa noho.

—Na Solomona 25:18

"These are the things which you should do: speak the truth to one another; judge with truth and judgment for peace in your gates." **—Zechariah 8:16**

" 'Eia nā mea a 'oukou e hana ai; e 'ōlelo 'oia'i'o aku kēlā kanaka kēia kanaka i kona hoalauna; a e ho'okolokolo ma ka 'oia'i'o, a ma ka mea e malu ai i loko o nā 'īpuka o 'oukou." **—Zekaria 8:16**

"You shall not bear a false report; do not join your hand with a wicked man to be a malicious witness."
—Exodus 23:1

"Mai ho'āla 'oe i ka 'ōlelo wahahe'e. Mai kau pū i kou lima me ka po'e hewa e lilo i mea hō'ike ho'okaumaha."
—Puka 'Ana 23:1

"And you will know the truth, and the truth will make you free." **—John 8:32**

"A e 'ike auane'i 'oukou i ka 'oia'i'o, a 'o ka 'oia'i'o e ku'u aku iā 'oukou." **—Ioane 8:32**

Hope • Mana'olana

And looking at *them* Jesus said to them, "With people this is impossible, but with God all things are possible."
—Matthew 19:26

Nānā maila ʻo Iesū iā lākou, ʻī maila, "He mea hiki ʻole ia i kānaka; akā, e hiki ʻiʻo nō nā mea a pau i ke Akua."
—Mataio 19:26

"For You are my lamp, O LORD;
And the LORD illumines my darkness." **—2 Samuel 22:29**

"No ka mea, ʻo ʻoe nō koʻu kukui, e Iēhova;
A e hoʻomālamalama mai nō ʻo Iēhova i koʻu pouli."
—Samuʻela II 22:29

Let us hold fast the confession of our hope without wavering, for He who promised is faithful. **—Hebrews 10:23**

E hoʻopaʻa kākou i ka manaʻolana a kākou i haʻi aku ai me ka luli ʻole; no ka mea, he kūpaʻa ʻiʻo ko ka Mea nāna i haʻi mua mai ka pono. **—Hebera 10:23**

Now may the God of hope fill you with all joy and peace in believing, so that you will abound in hope by the power of the Holy Spirit. —**Romans 15:13**

Na ke Akua nona mai ka manaʻolana e hoʻopiha iā ʻoukou me ka ʻoliʻoli, a me ka malu i ka manaʻoʻiʻo ʻana, i nui ai hoʻi ko ʻoukou manaʻolana ʻana ma ka mana o ka ʻUhane Hemolele. —**Roma 15:13**

But sanctify Christ as Lord in your hearts, always *being* ready to make a defense to everyone who asks you to give an account for the hope that is in you, yet with gentleness and reverence. —**1 Peter 3:15**

Akā, e hoʻāno i ka Haku i ke Akua, i loko o ko ʻoukou naʻau. E mākaukau mau ʻoukou e hoʻomaopopo aku i ka poʻe e nīnau mai iā ʻoukou i ke kumu o ka lana ʻana o ko ʻoukou manaʻo, me ke akahai, a me ka haʻahaʻa.
—**Petero I 3:15**

For in hope we have been saved, but hope that is seen is not hope; for who hopes for what he *already* sees? But if we hope for what we do not see, with perseverance we wait eagerly for it. —**Romans 8:24-25**

No ka mea, ua hoʻōla ʻia kākou i loko o ka manaʻolana. A ʻo ka manaʻolana i ka mea i ʻike maka ʻia ʻaʻole ia he manaʻolana; no ka mea, ʻo ka mea a ke kanaka i ʻike maka aku ai, pehea lā ia e manaʻolana hou aku ai ma ia mea? Akā, inā e manaʻolana aku kākou i ka mea a kākou i ʻike maka ʻole ai, ua kali kākou ia me ka hoʻomanawanui. —**Roma 8:24-25**

Why are you in despair, O my soul?
And why are you disturbed within me?
Hope in God, for I shall again praise Him,
The help of my countenance and my God. —**Psalm 43:5**

No ke aha lā ʻoe i hoʻohaʻahaʻa ʻia ai, e kuʻu ʻuhane?
No ke aha lā ʻoe i paumākō ai i loko oʻu?
E hoʻolana i ka manaʻo i ke Akua;
No ka mea, e hoʻoleʻa auaneʻi au iā ia;
ʻO ia ke ola o koʻu maka, a me kuʻu Akua. —**Halelū 43:5**

Hypocrisy • Ka hoʻokamani

If someone says, "I love God," and hates his brother, he is a liar; for the one who does not love his brother whom he has seen, cannot love God whom he has not seen.
—1 John 4:20

Inā e ʻōlelo aku kekahi, "Ke aloha aku nei au i ke Akua," a e hoʻomaʻau aku naʻe ia i kona hoahānau, he mea wahaheʻe ia; no ka mea, ʻo ka mea aloha ʻole i kona hoahānau āna i ʻike maka ai, pehea lā e hiki ai iā ia ke aloha aku i ke Akua āna i ʻike maka ʻole ai? **—Ioane I 4:20**

If anyone thinks himself to be religious, and yet does not bridle his tongue but deceives his *own* heart, this man's religion is worthless. **—James 1:26**

Inā i manaʻo ʻia kekahi he haipule ia, ʻaʻole hoʻi ʻo ia e kaula waha i kona alelo; akā, e hoʻopunipuni i kona naʻau iho, ua lapuwale kona haipule ʻana. **—Iakobo 1:26**

"Beware of practicing your righteousness before men to be noticed by them; otherwise you have no reward with your Father who is in heaven." —**Matthew 6:1**

"E mālama iā ʻoukou, ʻaʻole e hana wale aku i ko ʻoukou manawaleʻa i mua o nā kānaka, no ka ʻike ʻia mai e lākou; o loaʻa ʻole iā ʻoukou ka uku ʻia mai e ko ʻoukou Makua i ka lani." —**Mataio 6:1**

"Or how can you say to your brother, 'Let me take the speck out of your eye,' and behold, the log is in your own eye? You hypocrite, first take the log out of your own eye, and then you will see clearly to take the speck out of your brother's eye." —**Matthew 7:4-5**

"Pehea lā hoʻi ʻoe e ʻōlelo aku ai i kou hoahānau, ʻE ʻae mai naʻu e unuhi ka pula iki no loko mai o kou maka,' a he kaola nō kā hoʻi i loko o kou maka iho? E ka hoʻokamani, e unuhi mua ʻoe i ke kaola mai loko aʻe o kou maka iho, a laila ʻoe e ʻike pono ai ke unuhi aʻe i ka pula iki ma loko o ka maka a kou hoahānau."
—**Mataio 7:4-5**

Let love *be* without hypocrisy. Abhor what is evil; cling to what is good. —**Romans 12:9**

ʻO ke aloha, mai hoʻokamani ia. E hoʻowahāwahā i ka ʻino; e hoʻopili aku i ka maikaʻi. —**Roma 12:9**

"Beware of the false prophets, who come to you in sheep's clothing, but inwardly are ravenous wolves."
—Matthew 7:15

"E mālama hoʻi iā ʻoukou no ka poʻe kāula hoʻopunipuni ke hele mai i o ʻoukou nei me ka ʻaʻahu hipa; akā, ma loko, he poʻe ʻīlio hihiu hae lākou."
—Mataio 7:15

They profess to know God, but by *their* deeds they deny *Him,* being detestable and disobedient and worthless for any good deed. **—Titus 1:16**

Ua hōʻoiaʻiʻo ko lākou waha i ko lākou ʻike ʻana i ke Akua; akā, ma ka hana ʻana ua hōʻole lākou, he poʻe e hoʻowahāwahā ʻia, he hoʻolohe ʻole, he kū ʻole i nā hana maikaʻi a pau.**—Tito 1:16**

The one who says, "I have come to know Him," and does not keep His commandments, is a liar, and the truth is not in him. **—1 John 2:4**

ʻO ka mea e ʻōlelo ana, "Ua ʻike nō au iā ia," a mālama ʻole ʻo ia i kāna mau kauoha, he mea wahaheʻe ia, ʻaʻole he ʻoiaʻiʻo i loko ona. **—Ioane I 2:4**

"When you pray, you are not to be like the hypocrites; for they love to stand and pray in the synagogues and on the street corners so that they may be seen by men. Truly I say to you, they have their reward in full." —**Matthew 6:5**

"A i pule aku ʻoe, ʻeā, mai hoʻohālike me ka poʻe hoʻokamani; makemake lākou e pule kū ana ma nā hale hālāwai a me nā huina alanui, i ʻike ʻia mai ai lākou e kānaka; he ʻoiaʻiʻo kaʻu e ʻōlelo aku nei iā ʻoukou, ua loaʻa iā lākou ko lākou uku." —**Mataio 6:5**

If we say that we have fellowship with Him and *yet* walk in the darkness, we lie and do not practice the truth. **—1 John 1:6**

Inā e ʻōlelo kākou, ua aloha pū kākou me ia, a hele hoʻi ma ka pouli, ua wahaheʻe kākou, ʻaʻole kākou i hana ma ka ʻoiaʻiʻo. —**Ioane I 1:6**

Humility • Haʻahaʻa

Whoever wishes to become great among you shall be your servant; and whoever wishes to be first among you shall be slave of all." —**Mark 10:43-44**

A ʻo ka mea makemake e lilo i poʻokela i waena o ʻoukou, e lilo ia i kauā na ʻoukou. A ʻo ka mea e makemake i aliʻi ia ma luna o ʻoukou, e lilo ia i kauā na nā mea a pau." —**Mareko 10:43-44**

The reward of humility *and* the fear of the LORD
Are riches, honor and life. —**Proverbs 22:4**

No ka naʻau haʻahaʻa, ka makaʻu iā Iēhova,
Ka waiwai hoʻi a me ka hanohano a me ke ola.
—**Na Solomona 22:4**

"Whoever then humbles himself as this child, he is the greatest in the kingdom of heaven." —**Matthew 18:4**

" ʻO ka mea hoʻohaʻahaʻa iā ia iho e like me kēia keiki, ʻo ia ka nui loa i loko o ke aupuni o ka lani." —**Mataio 18:4**

So, as those who have been chosen of God, holy and beloved, put on a heart of compassion, kindness, humility, gentleness and patience. **—Colossians 3:12**

No laila ho‘i, me he po‘e i wae ‘ia lā e ke Akua, i ho‘ola‘a ‘ia, a i aloha ‘ia ho‘i, e ho‘okomo ‘oukou i ka na‘au menemene, a i ka lokomaika‘i, a i ka mana‘o ha‘aha‘a, a i ke akahai, a me ke ahonui. **—Kolosa 3:12**

Walk in a manner worthy of the calling with which you have been called, with all humility and gentleness, with patience, showing tolerance for one another in love. **—Ephesians 4:1-2**

E hele ‘oukou ma ka mea e kū i ke koho ‘ana a ‘oukou i koho ‘ia mai ai. Me ka ha‘aha‘a nui o ka na‘au, a me ke akahai, a me ka ho‘omanawanui ho‘i, a e ahonui aku kekahi i kekahi me ke aloha. **—‘Epeso 4:1-2**

But the humble will inherit the land
And will delight themselves in abundant prosperity.
—Psalm 37:11

Akā, e loa‘a ka honua i ka po‘e ho‘oha‘aha‘a;
He hau‘oli lākou i ka pōmaika‘i nui wale. **—Halelū 37:11**

You younger men, likewise, be subject to *your* elders; and all of you, clothe yourselves with humility toward one another, for GOD IS OPPOSED TO THE PROUD, BUT GIVES GRACE TO THE HUMBLE. —**1 Peter 5:5**

ʻO ʻoukou, e ka poʻe ʻōpiopio, e noho pono ʻoukou ma lalo o nā lunakahiko. ʻO ʻoukou hoʻi a pau, e noho pono ʻoukou, kekahi ma lalo iho o kekahi, a e hoʻouhi ʻia ʻoukou i ka manaʻo hoʻohaʻahaʻa; no ka mea, UA KŪʻĒ KE AKUA I KA POʻE HOʻOKIʻEKIʻE; AKĀ, KE LOKOMAIKAʻI NEI ʻO IA i ka poʻe hoʻohaʻahaʻa. **—Petero I 5:5**

He humbled you and let you be hungry, and fed you with manna which you did not know, nor did your fathers know, that He might make you understand that man does not live by bread alone, but man lives by everything that proceeds out of the mouth of the LORD. **—Deuteronomy 8:3**

Ua hoʻohaʻahaʻa ia iā ʻoe, ua hāʻawi mai ʻo ia iā ʻoe i ka pōloli, a ua hānai mai iā ʻoe i ka mane āu i ʻike ʻole ai, ʻaʻole hoʻi i ʻike kou mau kūpuna; i hōʻike mai ia iā ʻoe, ʻaʻole e ola ke kanaka ma ka berena wale nō; akā, ke ola nei ke kanaka i nā hua ʻōlelo a pau mai loko mai o ka waha o Iēhova. **—Kānāwai Lua 8:3**

"He must increase, but I must decrease." **—John 3:30**

"E māhuahua ana nō 'o ia; akā, e emi iho auane'i ho'i au." **—Ioane 3:30**

"Whoever receives this child in My name receives Me, and whoever receives Me receives Him who sent Me; for the one who is least among all of you, this is the one who is great." **—Luke 9:48**

"'O ka mea e mālama i kēia keiki no ko'u inoa, 'o ia ke mālama mai ia'u; a 'o ka mea e mālama mai ia'u, 'o ia ke mālama i ka Mea nāna au i ho'ouna mai; no ka mea, 'o ka mea 'u'uku loa i waena o 'oukou a pau loa, 'o ia ke 'oi aku ana." **—Luka 9:48**

Integrity • Pono • Kūpono Hoʻokamani ʻole

Let integrity and uprightness preserve me,
For I wait for You. **—Psalm 25:21**

E hoʻomalu ka pono me ka pololei iaʻu,
No ka mea, ke manaʻolana aku nei au iā ʻoe. **—Halelū 25:21**

Better is the poor who walks in his integrity
Than he who is crooked though he be rich.**—Proverbs 28:6**

E aho ka mea ʻilihune ke hele ʻo ia ma ka pololei,
I ka mea waiwai i hoʻokekeʻe i kona ʻaoʻao.
—Na Solomona 28:6

So you will walk in the way of good men
And keep to the paths of the righteous.
For the upright will live in the land
And the blameless will remain in it. **—Proverbs 2:20-21**

I hele ʻoe ma ke ala o ka poʻe pono,
I mālama hoʻi ʻoe i ka ʻaoʻao o ka poʻe pololei.
No ka mea, e noho paʻa ka poʻe maikaʻi ma ka ʻāina.
A e mau nō ma laila ka poʻe pololei. **—Na Solomona 2:20-21**

Whatever you do, do your work heartily, as for the Lord rather than for men. —**Colossians 3:23**

A ʻo kā ʻoukou mea e hana ai a pau, e hana aku nō ia me ka naʻau, me he mea lā no ka Haku, ʻaʻole hoʻi no kānaka. —**Kolosa 3:23**

Watch the path of your feet
And all your ways will be established.
Do not turn to the right nor to the left;
Turn your foot from evil. —**Proverbs 4:26-27**

E hoʻopololei aʻe i ke ala no kou mau kapuaʻi,
A e pololei hoʻi kou hele ʻana a pau.
Mai huli aʻe ʻoe i ka lima ʻākau ʻaʻole hoʻi i ka lima hema;
E huli naʻe kou wāwae mai ka hewa aku.
—**Na Solomona 4:26-27**

A righteous man who walks in his integrity—
How blessed are his sons after him. —**Proverbs 20:7**

ʻO ka mea hele ma kona pololei, he mea pono ʻo ia;
E hoʻomaikaʻi ʻia hoʻi kāna poʻe keiki ma hope ona.
—**Na Solomona 20:7**

Finally, brethren, whatever is true, whatever is honorable, whatever is right, whatever is pure, whatever is lovely, whatever is of good repute, if there is any excellence and if anything worthy of praise, dwell on these things.
—Philippians 4:8

Eia hoʻi, e nā hoahānau, ʻo nā mea ʻoiaʻiʻo, nā mea maikaʻi, nā mea pono, nā mea hala ʻole, nā mea lokomaikaʻi, nā mea lono maikaʻi ia; inā he mea kūpono, inā hoʻi he mea e hoʻomaikaʻi ʻia ai, e noʻonoʻo iho ʻoukou ia mau mea. **—Pilipi 4:8**

O LORD, who may abide in Your tent?
Who may dwell on Your holy hill?
He who walks with integrity, and works righteousness,
And speaks truth in his heart. **—Psalm 15:1-2**

E Iēhova, ʻo wai ka mea e noho i loko o kou halelewa?
ʻO wai hoʻi ka mea e noho ma kou mauna hoʻāno?
ʻO ka mea i hele ma ka pololei a i hana ma ka pono;
A i ʻōlelo hoʻi ma ka ʻoiaʻiʻo i loko o kona naʻau.
—Halelū 15:1-5

He stores up sound wisdom for the upright;
He is a shield to those who walk in integrity. **—Proverbs 2:7**

Hoʻāno ʻē ʻo ia i ke ola no ka poʻe pono;
He pākū ia no ka poʻe hele pololei. **—Na Solomona 2:7**

Jealousy • Lili • Nini 'Ōpū nini

Wrath is fierce and anger is a flood,
But who can stand before jealousy? —**Proverbs 27:4**

He aloha 'ole ka inaina, he mea make ka huhū,
'O wai lā ho'i e hiki ke kū i mua o ka huāhuā?
—**Na Solomona 27:4**

"You shall not covet your neighbor's house; you shall not covet your neighbor's wife." —**Exodus 20:17**

"Mai kuko 'oe i ka hale o kou hoalauna, mai kuko i ka wahine a kou hoalauna." —**Puka 'Ana 20:17**

For where jealousy and selfish ambition exist, there is disorder and every evil thing. —**James 3:16**

No ka mea, ma kahi e huāhuā ai a e hakakā ai ho'i, aia ma laila ka haunaele a me nā hana 'ino a pau. —**Iakobo 3:16**

"For anger slays the foolish man,
And jealousy kills the simple." —**Job 5:2**

"No ka mea, ke pepehi nei ka inaina i ka mea naʻaupō,
A ke hoʻomake nei ka huhū i ka mea hāwāwā." —**Ioba 5:2**

A tranquil heart is life to the body,
But passion is rottenness to the bones. —**Proverbs 14:30**

ʻO ke ola no ke kino, ʻo ia ka naʻau ʻoluʻolu,
ʻO ka lili, ʻo ia ka popopo o nā iwi. —**Na Solomona 14:30**

Joy • Hauʻoli • ʻOli • ʻOliʻoli

"These things I have spoken to you so that My joy may be in you, and *that* your joy may be made full."—**John 15:11**

"Ua ʻōlelo aku au ia mau mea, i mau ai kuʻu ʻoliʻoli no ʻoukou, i māhuahua ai ko ʻoukou ʻoliʻoli." —**Ioane 15:11**

A joyful heart is good medicine,
But a broken spirit dries up the bones.—**Proverbs 17:22**

ʻO ka naʻau ʻoliʻoli, he lāʻau lapaʻau ia e hōʻoluʻolu ana;
ʻO ka ʻuhane i hanapēpē ʻia, hoʻomaloʻo ia i nā iwi.
—**Na Solomona 17:22**

For the kingdom of God is not eating and drinking, but righteousness and peace and joy in the Holy Spirit.
—**Romans 14:17**

No ka mea, ʻaʻole ka ʻai a me ka mea inu ke aupuni o ke Akua; akā, ʻo ka pono, a me ke kuʻikahi, a me ka ʻoliʻoli i ka ʻUhane Hemolele. —**Roma 14:17**

This is the day which the LORD has made;
Let us rejoice and be glad in it. —**Psalm 118:24**

‘O kēia nō ka lā a Iēhova i hana ai,
E hau‘oli kākou, a e le‘ale‘a i laila. —**Halelū 118:24**

But let all who take refuge in You be glad,
Let them ever sing for joy;
And may You shelter them,
That those who love Your name may exult in You.
—**Psalm 5:11**

E hau‘oli ka po‘e a pau i hilina‘i aku iā ‘oe;
E hō‘oli‘oli mau nō ho‘i no kou mālama ‘ana mai iā lākou;
A e ‘oli‘oli ‘i‘o ho‘i iā ‘oe ka po‘e i makemake i kou inoa. —**Halelū 5:11**

My lips will shout for joy when I sing praises to You;
And my soul, which You have redeemed. —**Psalm 71:23**

E hau‘oli nui ko‘u mau lehelehe i ko‘u ‘oli ‘ana iā ‘oe;
A me ko‘u ‘uhane āu i ho‘ōla mai nei. —**Halelū 71:23**

"For you will go out with joy
And be led forth with peace;
The mountains and the hills will break forth into shouts of joy before you,
And all the trees of the field will clap *their* hands."
—Isaiah 55:12

"No ka mea, e puka aku auaneʻi ʻoukou me ka ʻoliʻoli,
A e alakaʻi ʻia aku ʻoukou me ka malu;
E hoʻokani i ke ʻoli nā kuahiwi, a me nā mauna i mua o ʻoukou,
A e paʻipaʻi lima hoʻi nā lāʻau a pau o ke kula."
—ʻIsaia 55:12

"I tell you that in the same way, there will be *more* joy in heaven over one sinner who repents than over ninety-nine righteous persons who need no repentance."
—Luke 15:7

"Ke ʻōlelo aku nei au iā ʻoukou, ua ʻoi aku ka ʻoliʻoli ma ka lani no ke kanaka hewa hoʻokahi e mihi ana, ma mua o nā kānaka maikaʻi he kanaiwakumamāiwa ʻaʻole pono iā lākou ke mihi." **—Luka 15:7**

Make my joy complete by being of the same mind, maintaining the same love, united in spirit, intent on one purpose. **—Philippians 2:2**

E hoʻokō mai ʻoukou i kuʻu ʻoliʻoli, i like pū ai hoʻi ko ʻoukou manaʻo, hoʻokahi hoʻi ke aloha, hoʻokahi nō hoʻi naʻau, e manaʻo hoʻokahi ana. **—Pilipi 2:2**

I have no greater joy than this, to hear of my children walking in the truth. **—3 John 1:4**

ʻAʻole oʻu ʻoliʻoli nui ʻē aku i kēia, ʻo ka lohe ʻana i ka hele ʻana o kaʻu mau keiki ma ka ʻoiaʻiʻo. **—Ioane III 1:4**

Justice • Kaulike

"But let justice roll down like waters
And righteousness like an ever-flowing stream."
—**Amos 5:24**

"Akā, e hoʻokahe ʻia ka hoʻopono ʻana e like me ka wai,
A ʻo ka pono e like me ka waikahe ikaika."
—**ʻAmosa 5:24**

"Learn to do good;
Seek justice,
Reprove the ruthless,
Defend the orphan,
Plead for the widow." —**Isaiah 1:17**

"E aʻo i ka hana maikaʻi,
E ʻimi i ka hoʻopono,
E alakaʻi pololei i ka mea i hoʻokaumaha ʻia;
E hoʻopono i nā keiki makua ʻole,
E kōkua i ka wahine kāne make." —**ʻIsaia 1:17**

And what does the LORD require of you
But to do justice, to love kindness,
And to walk humbly with your God? —**Micah 6:8**

A he aha ka mea a ke Akua i kauoha mai ai iā ʻoe,
Ke ʻole e hana i ka pono, a e aloha i ka lokomaikaʻi,
A e hoʻohaʻahaʻa i ka hele ʻana me ke Akua? —**Mika 6:8**

Evil men do not understand justice,
But those who seek the LORD understand all things.
—**Proverbs 28:5**

ʻAʻole i ʻike ka poʻe ʻaiā i ka hoʻopono;
A ʻo ka poʻe ʻimi iā Iēhova, ʻike nō i nā mea a pau.
—**Na Solomona 28:5**

"Dispense true justice and practice kindness and compassion each to his brother." —**Zechariah 7:9**

"E hoʻopono ʻoukou, a e hoʻomaopopo kēlā kanaka kēia kanaka i ka lokomaikaʻi a me ke aloha i kona hoahānau." —**Zekaria 7:9**

Justice, *and only* justice, you shall pursue, that you may live and possess the land which the LORD your God is giving you. **—Deuteronomy 16:20**

ʻO ka pono ʻiʻo kāu e hahai ai, i ola ai ʻoe, a i hoʻolilo ʻia ai nou ka ʻāina a Iēhova kou Akua i hāʻawi mai ai iā ʻoe. **—Kānāwai Lua 16:20**

"Do justice and righteousness, and deliver the one who has been robbed from the power of *his* oppressor."
—Jeremiah 22:3

"E hana ʻoukou i ka hoʻoponopono, a me ka maikaʻi, a e hoʻopakele i ka mea i hao ʻia, mai ka lima aku o ka mea hoʻokaumaha." **—Ieremia 22:3**

Kindness • Lokomaikaʻi

Behold then the kindness and severity of God; to those who fell, severity, but to you, God's kindness, if you continue in His kindness; otherwise you also will be cut off. —**Romans 11:22**

No ia mea, e nānā ʻoe i ka lokomaikaʻi a me ka ʻoʻoleʻa o ke Akua; he ʻoʻoleʻa i ka poʻe i hāʻule; akā, he lokomaikaʻi nō iā ʻoe ke noho mau ʻoe ma ka pono; a i ʻole, e ʻoki ʻia auaneʻi ʻoe. —**Roma 11:22**

Be kind to one another, tender-hearted, forgiving each other, just as God in Christ also has forgiven you. —**Ephesians 4:32**

E lokomaikaʻi ʻoukou i kekahi i kekahi, e aloha aku me ka naʻau, e kala ana hoʻi kekahi i kekahi, e like me kā ke Akua i kala mai ai i ko ʻoukou ma o Kristo lā. —**ʻEpeso 4:32**

"But love your enemies, and do good, and lend, expecting nothing in return; and your reward will be great." **—Luke 6:35**

"Akā, e aloha aku i ko ʻoukou poʻe ʻenemi, e hana maikaʻi aku, a e hāʻawi aku, me ka manaʻo ʻole i ka uku hou ʻia; a laila e nui ka uku no ʻoukou." **—Luka 6:35**

The merciful man does himself good,
But the cruel man does himself harm. **—Proverbs 11:17**

ʻO ka mea minamina i kona ʻuhane iho, he kanaka lokomaikaʻi ʻo ia;
ʻO ka mea hōʻino i kona kino, he aloha ʻole kona.
—Na Solomona 11:17

Let no unwholesome word proceed from your mouth, but only such *a word* as is good for edification according to the need *of the moment,* so that it will give grace to those who hear. **—Romans 15:29**

Mai hoʻopuka aʻe ʻoukou i ka ʻōlelo ʻino mai loko mai o ko ʻoukou waha; akā, ʻo ka ʻōlelo maikaʻi no ke kūpaʻa ʻana, i hōʻoluʻolu aku ai ia i ka poʻe lohe. **—Roma 15:29**

Leadership • Alaka'ina

"If I then, the Lord and the Teacher, washed your feet, you also ought to wash one another's feet."—**John 13:14**

Inā ho'i 'o wau ka Haku a me ke Kumu i holoi i ko 'oukou mau wāwae; he pono nō 'oukou ke holoi kekahi i nā wāwae o kekahi." —**Ioane 13:14**

Do not *merely* look out for your own personal interests, but also for the interests of others. —**Philippians 2:4**

'A'ole ho'i e nānā ana kēlā mea kēia mea i kāna iho; akā, e nānā ho'i kēlā mea kēia mea i kā ha'i. —**Pilipi 2:4**

Like a shepherd He will tend His flock,
In His arm He will gather the lambs
And carry *them* in His bosom. —**Isaiah 40:11**

E hānai nō 'o ia i kāna 'ohana me he kahu hipa lā;
E hō'ili'ili nō ho'i i nā keiki hipa i kona lima,
A hi'ipoi ho'i iā lākou ma kona poli. —**'Isaia 40:11**

For even as the body is one and *yet* has many members, and all the members of the body, though they are many, are one body, so also is Christ. —**1 Corinthians 12:12**

E like me ke kino, hoʻokahi nō ia, a he nui kona mau lālā, a ʻo nā lālā a pau he nui, no ke kino hoʻokahi, hoʻokahi nō kino lākou: pēlā nō ʻo Kristo. —**Korineto I 12:12**

Shepherd the flock of God among you, exercising oversight not under compulsion, but voluntarily, according to *the will of* God; and not for sordid gain, but with eagerness. —**1 Peter 5:2**

E hānai ʻoukou i ka poʻe o ke Akua i waena o ʻoukou, e kiaʻi ana, ʻaʻole no ka hoʻokoi ʻia mai, no ka makemake nō; ʻaʻole hoʻi no ka puni waiwai; akā, no ka manaʻo pono. —**Petero I 5:2**

When the righteous increase, the people rejoice,
But when a wicked man rules, people groan. —**Proverbs 29:2**

I ka lehulehu ʻana o ka poʻe pono, hauʻoli nā kānaka;
A i ke aliʻi ʻana o ka mea hewa, ʻulono aʻela nā kānaka. —**Na Solomona 29:2**

If a ruler pays attention to falsehood,
All his ministers *become* wicked. —**Proverbs 29:12**

Inā e hāliu a'e ke ali'i i ka 'ōlelo wahahe'e,
Pau loa kāna po'e kauā i ka hana hewa. —**Na Solomona 29:12**

"Be on guard for yourselves and for all the flock, among which the Holy Spirit has made you overseers, to shepherd the church of God which He purchased with His own blood." —**Acts 20:28**

"No laila e ao 'oukou iā 'oukou iho, a me ka 'ohana a pau, ma luna ona i ho'olilo 'ia ai 'oukou e ka 'Uhane Hemolele i po'e kahu. E hānai i ka 'ekalesia o ke Akua, i ka mea āna i kū'ai ai i kona koko iho." —**'Oihana 20:28**

"I am the good shepherd; the good shepherd lays down His life for the sheep." —**John 10:11**

" 'O wau nō ke kahu hipa maika'i; 'o ke kahu hipa maika'i, 'o ia ke hā'awi i kona ola iho no nā hipa."
—**Ioane 10:11**

For the overseer must be above reproach as God's steward, not self-willed, not quick-tempered, not addicted to wine, not pugnacious, not fond of sordid gain, but hospitable, loving what is good, sensible, just, devout, self-controlled. —**Titus 1:7-8**

No ka mea, e pono e hala ʻole ka luna kiaʻi, he puʻukū lā hoʻi ia no ke Akua; ʻaʻole hoʻokuli, ʻaʻole huhū, ʻaʻole lilo i ka waina ʻaʻole mokomoko, ʻaʻole puni i ka waiwai ʻino; akā, he hoʻokipa, he makemake i ka pono, he kūoʻo, he hoʻopono, he hemolele, me ka hoʻomanawanui. —**Tito 1:7-8**

Learning • Aʻo • Naʻauao

Lead me in Your truth and teach me,
For You are the God of my salvation;
For You I wait all the day. —**Psalm 25:5**

E alakaʻi ʻoe iaʻu ma kāu ʻōlelo ʻoiaʻiʻo,
E aʻo mai hoʻi ʻoe iaʻu;
No ka mea, ʻo ʻoe nō koʻu Akua e ola ai;
He manaʻolana koʻu iā ʻoe a pō ka lā. —**Halelū 25:5**

He is *on* the path of life who heeds instruction,
But he who ignores reproof goes astray. —**Proverbs 10:17**

Ma ka ʻaoʻao o ke ola ka mea i mālama i ke aʻo ʻana mai;
ʻO ka mea i pale aʻe i ke aʻo ʻana, ua hana lapuwale ʻo ia. —**Na Solomona 10:17**

A wise man will hear and increase in learning,
And a man of understanding will acquire wise counse.
—**Proverbs 1:5**

E hoʻolohe ka mea naʻauao, a māhuahua ka ʻike,
E loaʻa nō i ka mea i aʻo ʻia ai ka ʻike e naʻauao ai.
—**Na Solomona 1:5**

I have learned the secret of being filled and going hungry, both of having abundance and suffering need. I can do all things through Him who strengthens me.
—Philippians 4:12-13

Ua a‘o ‘ia maila au, e noho mā‘ona a e noho pōloli, e noho lako a e noho nele. E hiki nō ia‘u nā mea a pau, ke kōkua mai ‘o Kristo ia‘u. **—Pilipi 4:12-13**

Give *instruction* to a wise man and he will be still wiser,
Teach a righteous man and he will increase *his* learning.
—Proverbs 9:9

E hā‘awi na ka mea na‘auao,
A e ‘oi mau ka na‘auao;
E a‘o ho‘i i ka mea ho‘opono,
A e māhuahua a‘ela kona ‘ike. **—Na Solomona 9:9**

For whatever was written in earlier times was written for our instruction, so that through perseverance and the encouragement of the Scriptures we might have hope.
—Romans 15:4

No ka mea, ‘o nā mea a pau i palapala ‘ē ‘ia ma mua, ua palapala ‘ia ia i mea e a‘o mai ai iā kākou, i loa‘a iā kākou ka mana‘olana ma ke ahonui, a me ka hō‘olu‘olu ‘ana o ka Palapala Hemolele. **—Roma 15:4**

All Scripture is inspired by God and profitable for teaching, for reproof, for correction, for training in righteousness. **—2 Timothy 3:16**

ʻO ka Palapala Hemolele a pau, ua hāʻawi ʻia mai ia e ka ʻUhane o ke Akua, he mea ia e pono ai, no ke aʻo ʻana, no ka pāpā ʻana, no ka hoʻopololei ʻana, no ka hoʻonaʻauao ʻana ma ka pono. **—Timoteo II 3:16**

I will instruct you and teach you in the way which you
should go;
I will counsel you with My eye upon you. **—Psalm 32:8**

E aʻo aku au iā ʻoe, a hōʻike iā ʻoe i kou ala e hele ai;
E alakaʻi au iā ʻoe me koʻu maka. **—Halelū 32:8**

Listening • Lohe • Hoʻolohe Hoʻolono

Listen to counsel and accept discipline,
That you may be wise the rest of your days. **—Proverbs 19:20**

E hoʻolohe i ka ʻōlelo aʻo, e hāliu hoʻi i ke aʻo ʻia mai,
I naʻauao ʻoe i kou hopena. **—Na Solomona 19:20**

He who gives an answer before he hears,
It is folly and shame to him. **—Proverbs 18:13**

ʻO ka mea hoʻopuka i kona manaʻo ma mua o kona lohe ʻana,
He lapuwale ia, a he mea ia nona e hilahila ai.
—Na Solomona 18:13

Behold, I stand at the door and knock; if anyone hears My voice and opens the door, I will come in to him and will dine with him, and he with Me. **—Revelation 3:20**

ʻAia hoʻi, ke kū nei au ma ka puka e kīkēkē ana; inā lohe kekahi i koʻu leo, a wehe i ka puka, e komo aku au i ona lā, a e ʻai pū au me ia, a ʻo ia pū me aʻu.
—Hōʻike ʻAna 3:20

"He who has ears to hear, let him hear."—**Matthew 11:15**

" 'O ka mea pepeiao lohe lā, e ho'olohe ia." —**Mataio 11:15**

Cease listening, my son, to discipline,
And you will stray from the words of knowledge.
—**Proverbs 19:27**

Ua oki, e ku'u keiki, mai ho'olohe i ke a'o 'ana,
E ho'o'auana ai mai ka 'ōlelo aku o ka 'ike.
—**Na Solomona 19:27**

'Call to Me and I will answer you, and I will tell you great and mighty things, which you do not know.' —**Jeremiah 33:3**

'E hea mai 'oe ia'u, a e ō aku nō wau iā 'oe, a e hō'ike aku iā 'oe i nā mea nui a pa'akikī, a'u i 'ike 'ole ai.'
—**Ieremia 33:3**

"My sheep hear My voice, and I know them, and they follow Me." —**John 10:27**

"Ua ho'olohe ka'u po'e hipa i ko'u leo, a ua 'ike au iā lākou, a hahai nō lākou ia'u." —**Ioane 10:27**

I love the LORD, because He hears
My voice *and* my supplications.
Because He has inclined His ear to me,
Therefore I shall call *upon Him* as long as I live.
—Psalm 116:1-2

Ke aloha aku nei au iā Iēhova,
No ka mea, ua hoʻolohe mai ʻo ia i ka leo o koʻu nonoi ʻana.
No ka mea hoʻi, ua hāliu mai kona pepeiao iaʻu,
No laila, e kāhea aku au iā ia i koʻu mau lā. **—Halelū 116:1-2**

This is the confidence which we have before Him, that, if we ask anything according to His will, He hears us.
—1 John 5:14

Eia ka manaʻoʻiʻo o kākou iā ia, inā e nonoi aku kākou i kahi mea e like me kona makemake, e hoʻolohe mai nō ʻo ia iā kākou. **—Ioane I 5:14**

"Therefore everyone who hears these words of Mine and acts on them, may be compared to a wise man who built his house on the rock." **—Matthew 7:24**

"No laila hoʻi, ʻo ka mea lohe i kēia mau ʻōlelo aʻu, a mālama hoʻi ia, e hoʻohālike au iā ia me ke kanaka naʻauao, nāna i kūkulu kona hale ma luna o ka pōhaku."
—Mataio 7:24

Loneliness • Mehameha

For my father and my mother have forsaken me,
But the LORD will take me up. —**Psalm 27:10**

Aia haʻalele koʻu makua kāne a me koʻu makuahine
 iaʻu,
A laila e ʻohi mai nō hoʻi ʻo Iēhova iaʻu. —**Halelū 27:10**

Then the LORD God said, "It is not good for the man to be alone; I will make him a helper suitable for him."
—**Genesis 2:18**

ʻĪ ihola ʻo Iēhova ke Akua, "ʻAʻole pono ke kanaka ke noho, ʻo ia wale; e hana nō wau i kōkoʻolua nona e kū iā ia." —**Kinohi 2:18**

"I will not leave you as orphans; I will come to you."
—**John 14:18**

"ʻAʻole au e haʻalele iā ʻoukou a nele; e hoʻi hou mai nō au i o ʻoukou nei." —**Ioane 14:18**

Even though I walk through the valley of the shadow of death,
I fear no evil, for You are with me;
Your rod and Your staff, they comfort me. —**Psalm 23:4**

ʻOiaʻiʻo, inā e hele au ma ke awāwa malu o ka make,
ʻAʻole au e weliweli i ka pōʻino; no ka mea, ʻo ʻoe pū kekahi me aʻu;
ʻO kou mana, a me kou koʻokoʻo, ʻo koʻu mau mea ia e ʻoluʻolu ai. —**Halelū 23:4**

"When you pass through the waters, I will be with you;
And through the rivers, they will not overflow you."
—**Isaiah 43:2**

"Iā ʻoe e hele ma waena o nā wai, ʻo wau pū nō me ʻoe;
A ma loko hoʻi o nā muliwai, ʻaʻole ʻoe e hālana ʻia iā lākou." —**ʻIsaia 43:2**

"I am not alone, because the Father is with Me."
—**John 16:32**

" ʻAʻole hoʻi au e hoʻokahi wale ana; no ka mea, ʻo ka Makua pū me aʻu." —**Ioane 16:32**

Love • Aloha

The one who does not love does not know God, for God is love. **—1 John 4:8**

ʻO ka mea e aloha ʻole ana, ʻaʻole ia i ʻike aku i ke Akua; no ka mea, he aloha ke Akua. **—Ioane I 4:8**

See how great a love the Father has bestowed on us, that we would be called children of God. **—1 John 3:1**

Eia hoʻi, manomano ke aloha a ka Makua i hāʻawi mai ai iā kākou, i kapa ʻia mai ai kākou he poʻe keiki na ke Akua. **—Ioane I 3:1**

Beyond all these things *put on* love, which is the perfect bond of unity. **—Colossians 3:14**

A ʻo ke aloha kekahi, ma luna iho o nēia mau mea a pau, ʻo ia ka mea hemolele e paʻa pono ai. **—Kolosa 3:14**

Love is patient, love is kind *and* is not jealous; love does not brag *and* is not arrogant, does not act unbecomingly; it does not seek its own, is not provoked, does not take into account a wrong *suffered,* does not rejoice in unrighteousness, but rejoices with the truth; bears all things, believes all things, hopes all things, endures all things. **—1 Corinthians 13:4-7**

ʻO ke aloha, ua hoʻomanawanui, a ua lokomaikaʻi; ʻaʻole pāonioni aku ke aloha; ʻaʻole haʻanui ke aloha, ʻaʻole haʻakei, ʻaʻole hoʻi e hoʻohiehie, ʻaʻole ʻimi i kona mea iho, ʻaʻole hikiwawe ka huhū, ʻaʻole noʻonoʻo ʻino; ʻaʻole i hauʻoli i ka hewa; akā, ua hauʻoli i ka pono. Ua ahonui i nā mea a pau, ua manaʻo ʻoiaʻiʻo i nā mea a pau, ua manaʻolana i nā mea a pau, ua hoʻomanawanui i nā mea a pau. **—Korineto I 13:4-7**

Above all, keep fervent in your love for one another, because love covers a multitude of sins. **—1 Peter 4:8**

Eia ka mea ʻoi ma mua o nā mea a pau, ʻo ka pumahana o ke aloha i waena o ʻoukou; no ka mea, ʻo ke aloha ka mea e uhi ai i nā hewa he nui loa. **—Petero I 4:8**

We love, because He first loved us. **—1 John 4:19**

Ke aloha aku nei kākou iā ia; no ka mea, ua aloha mua mai kēlā iā kākou. **—Ioane I 4:19**

Owe nothing to anyone except to love one another; for he who loves his neighbor has fulfilled *the* law.
—Romans 13:8

Mai noho a ʻaiʻē wale i kā kekahi, ʻanoʻai ma ke aloha i kekahi i kekahi; no ka mea, ʻo ka mea i aloha iā haʻi, ʻo ia ke mālama i ke kānāwai. **—Roma 13:8**

"A new commandment I give to you, that you love one another, even as I have loved you, that you also love one another." **—John 13:34**

"He kauoha hou kaʻu e hāʻawi aku nei iā ʻoukou, e aloha aku ʻoukou i kekahi i kekahi; e like me kaʻu i aloha ai iā ʻoukou, pēlā ʻoukou e aloha aku ai i kekahi i kekahi."
—Ioane 13:34

Be devoted to one another in brotherly love; give preference to one another in honor. **—Romans 12:10**

E launa aku hoʻi kekahi i kekahi, ma ke aloha hoahānau; e hoʻopakela aku kekahi i kekahi ma ka hoʻomaikaʻi ʻana. **—Roma 12:10**

"YOU SHALL LOVE YOUR NEIGHBOR AS YOURSELF.' There is no other commandment greater than these."
—Mark 12:31

"E ALOHA ʻOE I KOU HOALAUNA ME KOU ALOHA IĀ ʻOE IHO.' ʻAʻole kānāwai ʻē aʻe i ʻoi ma mua o kēia mau kānāwai." **—Mareko 12:31**

Love of God
Aloha Ke Akua

For I am convinced that neither death, nor life, nor angels, nor principalities, nor things present, nor things to come, nor powers, nor height, nor depth, nor any other created thing, will be able to separate us from the love of God, which is in Christ Jesus our Lord.

—Romans 8:38-39

No ka mea, ke manaʻo maopopo nei au, ʻaʻole e hiki i ka make a me ke ola, ʻaʻole i nā ʻānela a me nā aliʻi a me nā mea ikaika, ʻaʻole hoʻi i nā mea o nēia wā a me nā mea ma hope aku, ʻaʻole hoʻi i nā luna kānāwai, ʻaʻole hoʻi i ke kiʻekiʻe a me ka hohonu, ʻaʻole hoʻi i kekahi mea ʻē aʻe i hana ʻia, ke hoʻokaʻawale mai iā kākou, mai ke aloha mai o ke Akua, inā nō i loko o Kristo Iesū ʻo ko kākou Haku. **—Roma 8:38-39**

If I should say, "My foot has slipped,"
Your lovingkindness, O LORD, will hold me up.

—Psalm 94:18

Iaʻu i ʻōlelo ai, "Ua paheʻe koʻu wāwae,"
A laila, na kou lokomaikaʻi, e Iēhova, i hoʻoikaika iaʻu.

—Halelū 94:18

The LORD'S lovingkindnesses indeed never cease,
For His compassions never fail.
They are new every morning;
Great is Your faithfulness.—**Lamentations 3:22-23**

No ka lokomaikaʻi o Iēhova, ʻaʻole kākou i ʻānai ʻia;
No ka pau ʻole hoʻi o kona aloha.
He hou mai nō i nā kakahiaka a pau;
Ua nui loa nō kou ʻoiaʻiʻo. —**Ke Kanikau 3:22-23**

"He will be quiet in His love,
He will rejoice over you with shouts of joy."
—**Zephaniah 3:17**

"E noho mālie ʻo ia i kona aloha,
E hauʻoli ʻo ia nou me ka mele ʻana." —**Zepania 3:17**

"For God so loved the world, that He gave His only begotten Son, that whoever believes in Him shall not perish, but have eternal life." —**John 3:16**

"No ka mea, ua aloha nui mai ke Akua i ko ke ao nei; no laila, ua hāʻawi mai ʻo ia i kāna Keiki hiwahiwa, i ʻole e make ka mea manaʻoʻiʻo iā ia; akā, e loaʻa iā ia ke ola mau loa." —**Ioane 3:16**

We have come to know and have believed the love which God has for us. God is love, and the one who abides in love abides in God, and God abides in him. **—1 John 4:16**

A ua ʻike kākou, a ua manaʻoʻiʻo nō hoʻi i ke aloha ʻana mai o ke Akua iā kākou. He aloha ke Akua; a ʻo ka mea e noho ana i loko o ke aloha, ke noho nei ʻo ia i loko o ke Akua, a ʻo ke Akua nō hoʻi i loko ona. **—Ioane I 4:16**

"For the mountains may be removed and the hills may shake,
But My lovingkindness will not be removed from you."
—Isaiah 54:10

"No ka mea, e lilo auaneʻi nā kuahiwi,
A e hoʻoneʻeneʻe ʻia nā mauna;
Akā, ʻaʻole e lilo aku koʻu lokomaikaʻi." **—ʻIsaia 54:10**

Marriage • Male • Mare

For this reason a man shall leave his father and his mother, and be joined to his wife; and they shall become one flesh. —**Genesis 2:24**

No kēia mea, e ha'alele aku ke kanaka i kona makua kāne a me kona makuahine, a e pili aku 'o ia i kāna wahine; a e lilo lāua i 'i'o ho'okahi. —**Kinohi 2:24**

Two are better than one because they have a good return for their labor. For if either of them falls, the one will lift up his companion. —**Ecclesiastes 4:9-10**

Ua 'oi aku ka maika'i o nā mea 'elua ma mua o ka mea ho'okahi; no ka mea, iā lāua ka uku maika'i no kā lāua hana 'ana. No ka mea, inā e hā'ule kekahi, e ho'āla kekahi i kona hoa. —**Ke Kahuna 4:9-10**

He who finds a wife finds a good thing
And obtains favor from the LORD. —**Proverbs 18:22**

'O ka mea loa'a iā ia ka wahine, loa'a nō ka mea maika'i,
Ua loa'a ho'i iā ia ka lokomaika'i no Iēhova mai.
—**Na Solomona 18:22**

Above all, keep fervent in your love for one another, because love covers a multitude of sins. —**1 Peter 4:8**

Eia ka mea ʻoi ma mua o nā mea a pau, ʻo ka pumahana o ke aloha i waena o ʻoukou; no ka mea, ʻo ke aloha ka mea e uhi ai i nā hewa he nui loa. —**Petero I 4:8**

Be kind to one another, tender-hearted, forgiving each other, just as God in Christ also has forgiven you. —**Ephesians 4:32**

E lokomaikaʻi ʻoukou i kekahi i kekahi, e aloha aku me ka naʻau, e kala ana hoʻi kekahi i kekahi, e like me kā ke Akua i kala mai ai i ko ʻoukou ma o Kristo lā. —**ʻEpeso 4:32**

Marriage *is to be held* in honor among all, and the *marriage* bed *is to be* undefiled; for fornicators and adulterers God will judge. —**Hebrews 13:4**

E mahalo ʻia ka mare no nā mea a pau, a e hoʻopaumāʻele ʻole ʻia hoʻi kahi moe; no ka mea, e hoʻāhewa mai ana nō ke Akua i ka poʻe hoʻoipoipo, a me ka poʻe moekolohe. —**Hebera 13:4**

Let your speech always be with grace, *as though* seasoned with salt, so that you will know how you should respond to each person. —**Colossians 4:6**

E ho‘omau ‘ia ka maika‘i o kā ‘oukou ‘ōlelo, i miko ia i ka pa‘akai, i ‘ike ‘oukou i ka mea e pono ai ke ‘ōlelo i kēlā kanaka a i kēia kanaka. —**Kolosa 4:6**

Money/Wealth
Kālā/Waiwai

Make sure that your character is free from the love of money, being content with what you have. —**Hebrews 13:5**

E noho ʻoukou me ka puni kālā ʻole, ʻoluʻolu nō i nā mea i loaʻa iā ʻoukou. —**Hebera 13:5**

Why do you spend money for what is not bread,
And your wages for what does not satisfy?
Listen carefully to Me, and eat what is good,
And delight yourself in abundance." —**Isaiah 55:2**

No ke aha lā ʻoukou i kaupaona aku ai i kā ʻoukou kālā i ka mea, ʻaʻole ia he berena?
A i ko ʻoukou waiwai hoʻi, i ka mea hoʻomāʻona ʻole mai?
E hoʻolohe pono mai ʻoukou iaʻu, a e ʻai hoʻi i ka mea i maikaʻi ʻiʻo,
A e ʻoliʻoli hoʻi ko ʻoukou ʻuhane ma ka momona."
—**ʻIsaia 55:2**

"No one can serve two masters; for either he will hate the one and love the other, or he will be devoted to one and despise the other. You cannot serve God and wealth."
—Matthew 6:24

" 'A'ole nō e hiki i ke kanaka ke mālama i nā haku 'elua; no ka mea, e ho'owahāwahā ia i kekahi, a e aloha aku ho'i i kekahi; a i 'ole ia, e ho'opili aku ia i kekahi me ka ha'alele i kekahi. 'A'ole e hiki iā 'oukou ke mālama pū i ke Akua a me ka mamona." **—Mataio 6:24**

Do not weary yourself to gain wealth,
Cease from your consideration *of it.*
When you set your eyes on it, it is gone.
For *wealth* certainly makes itself wings
Like an eagle that flies *toward* the heavens. **—Proverbs 23:4-5**

Mai ho'oikaika i waiwai a'e;
E hō'ole i kou na'auao iho.
E kau anei 'oe i kou mau maka ma ka mea e 'ole ana?
No ka mea, e hana 'i'o nō ia mea i mau 'ēheu nona iho;
Me he 'aeto lā e lele aku ai i ka lewa. **—Na Solomona 23:4-5**

“Sell your possessions and give to charity; make yourselves money belts which do not wear out, an unfailing treasure in heaven, where no thief comes near nor moth destroys. For where your treasure is, there your heart will be also.” **—Luke 12:33-34**

“E kūʻai lilo aku i ko ʻoukou waiwai, a e hāʻawi manawaleʻa aku. E hoʻolakolako iā ʻoukou iho i mau ʻaʻa moni nāhaehae ʻole, i waiwai pau ʻole ma ka lani, kahi hiki ʻole ai i ka ʻaihue, kahi e ʻino ʻole ai i ka mū. No ka mea, ma kahi e waiho ai ko ʻoukou waiwai, ma laila pū nō hoʻi ko ʻoukou naʻau.” **—Luka 12:33-34**

Honor the LORD from your wealth
And from the first of all your produce. **—Proverbs 3:9**

E hoʻonani iā Iēhova ma kou waiwai,
A me nā hua mua o nā mea a pau i loaʻa ai iā ʻoe.
—Na Solomona 3:9

‘Thus all the tithe of the land, of the seed of the land or of the fruit of the tree, is the LORD’S; it is holy to the LORD.’ **—Leviticus 27:30**

ʻA ʻo ka hapaʻumi a pau o ko ka ʻāina, ʻo ka hua o ka ʻāina, a ʻo ka hua o ka lāʻau, no Iēhova ia, he hoʻāno no Iēhova.’ **—ʻOihana Kahuna 27:30**

Then He said to them, "Beware, and be on your guard against every form of greed; for not *even* when one has an abundance does his life consist of his possessions." **—Luke 12:15**

A ʻōlelo maila ʻo ia iā lākou, "E manaʻo, a e mālama iā ʻoukou iho i ka puni waiwai; no ka mea, ʻaʻole no ka nui o ko ke kanaka waiwai kona ola ʻana." **—Luka 12:15**

For the love of money is a root of all sorts of evil, and some by longing for it have wandered away from the faith and pierced themselves with many griefs. But flee from these things, you man of God, and pursue righteousness, godliness, faith, love, perseverance *and* gentleness. **—1 Timothy 6:10-11**

No ka mea, ʻo ka puni kālā ʻo ka mole nō ia o ka hewa a pau; ua kuko nui ʻia ia e kekahi poʻe, a ua haʻalele lākou i ka manaʻoʻiʻo, a ua houhou lākou iā lākou iho i nā ʻehaʻeha he nui. Akā, ʻo ʻoe, e ke kanaka o ke Akua, e haʻalele ia mau mea; a e hahai ma muli o ka pono, ʻo ka manaʻo i ke Akua, ʻo ka manaʻoʻiʻo, ʻo ke aloha, ʻo ke ahonui, a me ke akahai. **—Timoteo I 6:10-11**

He who trusts in his riches will fall,
But the righteous will flourish like the *green* leaf.
—Proverbs 11:28

ʻO ka mea paulele i kona waiwai, e hāʻule ʻo ia;
Akā, me he lālā lāʻau lā e ulu ai ka poʻe pono.
—Na Solomona 11:28

Instruct those who are rich in this present world not to be conceited or to fix their hope on the uncertainty of riches, but on God, who richly supplies us with all things to enjoy. **—1 Timothy 6:17**

E kauoha aku ʻoe i ka poʻe waiwai i kēia ao, mai hoʻokiʻekiʻe ko lākou naʻau, mai hilinaʻi i ka waiwai ʻoiaʻiʻo ʻole; akā, i ke Akua ola, nāna nā mea a pau i hāʻawi lokomaikaʻi mai iā kākou e ʻoluʻolu ai.
—Timoteo I 6:17

Non-Violence • Kapu Aloha Hewaʻole

The LORD tests the righteous and the wicked,
And the one who loves violence His soul hates. **—Psalm 11:5**

Ke hoʻāʻo lā ʻo Iēhova i ka mea pono,
Akā, ke inaina lā kona ʻuhane i ka mea hewa.
A me ka mea i makemake i ke kolohe. **—Halelū 11:5**

Then Jesus *said to him, "Put your sword back into its place; for all those who take up the sword shall perish by the sword." **—Matthew 26:52**

A laila, ʻī maila ʻo Iesū iā ia, "E hoʻihoʻi ʻoe i ka pahi kaua i kona wahī; no ka mea, ʻo ka poʻe lālau i ka pahi kaua, e make nō lākou i ka pahi kaua." **—Mataio 26:52**

Pursue peace with all men, and the sanctification without which no one will see the Lord. **—Hebrews 12:14**

E hahai ma ke kuʻikahi me nā kānaka a pau, a ma ka hemolele hoʻi, ʻaʻohe kanaka i nele ia mea e ʻike aku i ka Haku. **—Hebera 12:14**

"Do not fear those who kill the body but are unable to kill the soul; but rather fear Him who is able to destroy both soul and body in hell." —**Matthew 10:28**

"Mai maka'u aku ho'i 'oukou i ka po'e nāna e pepehi mai ke kino, 'a'ole na'e e hiki iā lākou ke pepehi i ka 'uhane; akā, e maka'u aku i ka mea nona ka mana e make ai ka 'uhane a me ke kino i loko o Gehena."
—**Mataio 10:28**

Never take your own revenge, beloved, but leave room for the wrath *of God,* for it is written, "VENGEANCE IS MINE, I WILL REPAY," says the Lord. —**Romans 12:19**

Mai ho'opa'i 'oukou no 'oukou iho, e ka po'e i aloha 'ia; akā, e ho'oka'awale aku no ka inaina; no ka mea, ua palapala 'ia, "NO'U NŌ KA HO'OPA'I 'ANA, NA'U NŌ E UKU AKU," wahi a ka Haku. —**Roma 12:19**

But the wisdom from above is first pure, then peaceable, gentle, reasonable, full of mercy and good fruits, unwavering, without hypocrisy. —**James 3:17**

Akā, 'o ke akamai no luna mai, he ma'ema'e nō ia ma mua, a laila he noho mālie, he akahai, he 'olu'olu, he piha ho'i i ka lokomaika'i a me ka hua maika'i, 'a'ole loa e mana'o 'ino aku, 'a'ole ho'i he ho'okamani.
—**Iakobo 3:17**

So, as those who have been chosen of God, holy and beloved, put on a heart of compassion, kindness, humility, gentleness and patience; bearing with one another, and forgiving each other, whoever has a complaint against anyone; just as the Lord forgave you, so also should you. Beyond all these things *put on* love, which is the perfect bond of unity. Let the peace of Christ rule in your hearts, to which indeed you were called in one body; and be thankful. —**Colossians 3:12-15**

No laila hoʻi, me he poʻe i wae ʻia lā e ke Akua, i hoʻolaʻa ʻia, a i aloha ʻia hoʻi, e hoʻokomo ʻoukou i ka naʻau menemene, a i ka lokomaikaʻi, a i ka manaʻo haʻahaʻa, a i ke akahai, a me ke ahonui; e hoʻomanawanui ana kekahi i kekahi, e kala ana hoʻi kekahi i kekahi, ke loaʻa ka hala o kekahi i kekahi; e like me kā Kristo kala ʻana mai iā ʻoukou, pēlā aku hoʻi ʻoukou. A ʻo ke aloha kekahi, ma luna iho o nēia mau mea a pau, ʻo ia ka mea hemolele e paʻa pono ai. A e noho hoʻomalu mai ka malu o ke Akua i loko o ko ʻoukou naʻau, no ia mea hoʻi e hea ʻia mai ai ʻoukou i kino hoʻokahi; a e hoʻomaikaʻi aku hoʻi ʻoukou. —**Kolosa 3:12-15**

Love does no wrong to a neighbor; therefore love is the fulfillment of *the* law. —**Romans 13:10**

ʻAʻole e hana hewa ana ke aloha i kona hoalauna; no laila ʻo ke aloha ka hoʻokō ʻana i ke kānāwai. —**Roma 13:10**

"You have heard that it was said, 'AN EYE FOR AN EYE, AND A TOOTH FOR A TOOTH.' But I say to you, do not resist an evil person; but whoever slaps you on your right cheek, turn the other to him also." —**Matthew 5:38-39**

"Ua lohe ʻoukou i ka ʻōlelo ʻana mai, ʻHE MAKA NO KA MAKA, A HE NIHO NO KA NIHO.' Eia hoʻi kaʻu e ʻōlelo aku nei iā ʻoukou, mai hoʻopaʻi aku i ka ʻino'; a ʻo ka mea nāna e papaʻi mai i kou pāpālina ʻākau, e hāliu aku ʻoe iā ia i kekahi." —**Mataio 5:38-39**

Finally, brethren, rejoice, be made complete, be comforted, be like-minded, live in peace; and the God of love and peace will be with you. —**2 Corinthians 13:11**

Eia ke oki, e nā hoahānau, aloha ʻoukou; i hemolele ʻoukou, i ʻoluʻolu hoʻi, i hoʻokahi ko ʻoukou manaʻo, e noho ʻoukou me ke kuʻikahi; a ʻo ke Akua nona ke aloha a me ke kuʻikahi e noho pū me ʻoukou. —**Korineto II 13:11**

But the fruit of the Spirit is love, joy, peace, patience, kindness, goodness, faithfulness. —**Galatians 5:22**

Akā, ʻo ka hua na ka ʻUhane, ʻo ia ke aloha, ka ʻoliʻoli, ke kuʻikahi, ke ahonui, ka lokomaikaʻi, ka maikaʻi, ka manaʻoʻiʻo. —**Galatia 5:22**

Overcoming • Lanakila

Do not be overcome by evil, but overcome evil with good. —**Romans 12:21**

E ao o lanakila ka hewa ma luna ou; akā, e hoʻolanakila i ka pono ma luna o ka hewa. —**Roma 12:21**

"In the world you have tribulation, but take courage; I have overcome the world." —**John 16:33**

"I loko o ke ao nei e loaʻa iā ʻoukou ka pōpilikia; akā, e hoʻolana ʻoukou; ua lanakila wau ma luna o ke ao nei." —**Ioane 16:33**

Put on the full armor of God, so that you will be able to stand firm against the schemes of the devil. —**Ephesians 6:11**

E ʻaʻahu iho ʻoukou i ke kāhiko a pau a ke Akua, i hiki iā ʻoukou ke kūpaʻa i mua o nā hana maʻalea a ka diabolō. —**ʻEpeso 6:11**

And do not be conformed to this world, but be transformed by the renewing of your mind, so that you may prove what the will of God is, that which is good and acceptable and perfect. **—Romans 12:2**

Mai noho ʻoukou a hoʻohālike me ko ke ao nei; akā, e hoʻopāhaʻohaʻo ʻoukou ma ke ʻano hou ʻana o ko ʻoukou naʻau, i hoʻomaopopo ʻoukou i ko ke Akua makemake, ka pono, ka hōʻoluʻolu, a me ka hemolele.
—Roma 12:2

Fight the good fight of faith; take hold of the eternal life to which you were called, and you made the good confession in the presence of many witnesses.
—1 Timothy 6:12

E paio aku i ka paio maikaʻi o ka manaʻoʻiʻo, e hoʻopaʻa aku i ke ola mau loa, i kou mea i koho ʻia mai ai, a e hōʻoia aku ai i ka hōʻoiaʻiʻo maikaʻi i mua o ke alo o nā hōʻike he lehulehu. **—Timoteo I 6:12**

'He who overcomes, and he who keeps My deeds until the end, TO HIM I WILL GIVE AUTHORITY OVER THE NATIONS.' **—Revelation 2:26**

ʻ ʻO ka mea e lanakila a mālama hoʻi i kaʻu hana, a hiki i ka hopena, E HĀʻAWI AKU NŌ AU IĀ IA I KA MANA MA LUNA O NĀ LĀHUI KANAKA.ʼ **—Hōʻike ʻAna 2:26**

For whatever is born of God overcomes the world; and this is the victory that has overcome the world—our faith. **—1 John 5:4**

No ka mea, ʻo ka mea a ke Akua i hoʻohānau mai, ʻo ia ke lanakila ma luna o ke ao nei; eia ka mea e lanakila ai ma luna o ke ao nei, ʻo ko kākou manaʻoʻiʻo ʻana.
—Ioane I 5:4

Parenting • Hoʻomakua Makua

Fathers, do not provoke your children to anger, but bring them up in the discipline and instruction of the Lord.
—Ephesians 6:4

ʻOukou hoʻi, e nā mākua, mai hoʻonāukiuki aku i nā keiki a ʻoukou; akā, e alakaʻi iā lākou ma ka hoʻopono a me ka hoʻonaʻauao a ka Haku. **—ʻEpeso 6:4**

Train up a child in the way he should go,
Even when he is old he will not depart from it.
—Proverbs 22:6

E aʻo aku i ke kamaliʻi i kona ʻaoʻao,
A ʻelemakule ʻo ia, ʻaʻole ia e huli aʻe mai laila aku.
—Na Solomona 22:6

Just as a father has compassion on *his* children,
So the LORD has compassion on those who fear Him.
—Psalm 103:13

Me ka makua e aloha ana i kāna keiki,
Pēlā nō ʻo Iēhova e aloha ai i ka poʻe e makaʻu aku iā ia.
—Halelū 103:13

Behold, children are a gift of the LORD,
The fruit of the womb is a reward.
Like arrows in the hand of a warrior,
So are the children of one's youth.
How blessed is the man whose quiver is full of them.
—Psalm 127:3-5

Aia hoʻi! ʻO nā keiki, he hoʻoilina lākou no Iēhova mai;
A ʻo ka hua o ka ʻōpū, he uku nō ia.
E like me nā pua ma ka lima o ke kanaka ikaika,
Pēlā nō nā keiki a ka poʻe ʻōpiopio.
Pōmaikaʻi ke kanaka ke piha kāna ʻaʻa pua iā lākou.
—Halelū 127:3-5

In all things show yourself to be an example of good deeds, *with* purity in doctrine, dignified. **—Titus 2:7**

Ma nā mea a pau e hōʻike aku ʻoe iā ʻoe iho he kumu hoʻohālike no nā hana maikaʻi; a ma ke aʻo ʻana aku hoʻi, he wahaheʻe ʻole, he hanohano, a he ʻoiaʻiʻo.
—Tito 2:7

Correct your son, and he will give you comfort;
He will also delight your soul. **—Proverbs 29:17**

E haua i kāu keiki, a nāna ʻoe e hoʻomaha mai;
E lilo nō ia i mea e ʻoliʻoli ai kou ʻuhane.
—Na Solomona 29:17

"These words, which I am commanding you today, shall be on your heart. You shall teach them diligently to your sons and shall talk of them when you sit in your house and when you walk by the way and when you lie down and when you rise up." —**Deuteronomy 6:6-7**

" ʻO kēia mau ʻōlelo aʻu e kauoha aku nei iā ʻoe i kēia lā, e waiho nō ia ma loko o kou naʻau. A e aʻo pono aku ʻoe ia mau mea i āu mau keiki, a e kamaʻilio aku ia mau mea i kou noho ʻana ma kou hale, a i kou hele ʻana ma ke ala, i kou moe ʻana i lalo, a me kou ala ʻana i luna."
—**Kānāwai Lua 6:6-7**

"Only give heed to yourself and keep your soul diligently, so that you do not forget the things which your eyes have seen and they do not depart from your heart all the days of your life; but make them known to your sons and your grandsons." —**Deuteronomy 4:9**

"E makaʻala iā ʻoe iho, a e mālama nui hoʻi i kou naʻau, o hoʻopoina auaneʻi ʻoe i nā mea a kou maka i ʻike ai, a o nalowale auaneʻi ia mea i kou naʻau i nā lā a pau o kou ola ʻana; akā, e aʻo aku ia mau mea i kāu mau keiki, a me kāu mau moʻopuna." —**Kānāwai Lua 4:9**

Let no unwholesome word proceed from your mouth, but only such *a word* as is good for edification according to the need *of the moment,* so that it will give grace to those who hear. **—Ephesians 4:29**

Mai hoʻopuka aʻe ʻoukou i ka ʻōlelo ʻino mai loko mai o ko ʻoukou waha; akā, ʻo ka ʻōlelo maikaʻi no ke kūpaʻa ʻana, i hōʻoluʻolu aku ai ia i ka poʻe lohe. **—ʻEpeso 4:29**

"Either make the tree good and its fruit good, or make the tree bad and its fruit bad; for the tree is known by its fruit." **—Matthew 12:33**

"Inā e hoʻomaikaʻi aku ʻoukou i ka lāʻau, e hoʻomaikaʻi pū nō hoʻi i ko nā hua; akā i ʻole, a laila e hōʻino aku i ka lāʻau me ka hōʻino pū i kona hua; no ka mea, ua ʻikea ka lāʻau ma kona hua." **—Mataio 12:33**

Patience • Ahonui
Ho'omanawanui • 'Ōpū ahonui

Yet those who wait for the LORD
Will gain new strength;
They will mount up *with* wings like eagles,
They will run and not get tired,
They will walk and not become weary. —**Isaiah 40:31**

Akā, ʻo ka poʻe hilinaʻi aku iā Iēhova, e ulu hou nō ko lākou ikaika;
E piʻi ʻēheu aku nō lākou i luna, e like me nā ʻaito;
E holo nō lākou, ʻaʻole hoʻi e māloʻeloʻe,
E hele mua nō lākou, ʻaʻole hoʻi e maʻule. —**ʻIsaia 40:31**

The farmer waits for the precious produce of the soil, being patient about it, until it gets the early and late rains. You too be patient; strengthen your hearts, for the coming of the Lord is near. —**James 5:7-8**

Eia hoʻi, ke kakali nei ka mahi ʻai i ka hua ōhāhā o ka honua, e hoʻomanawanui ana ma ia mea a hiki mai ke kuāua mua a me ke kuāua hope. E ahonui nō hoʻi ʻoukou, e hoʻoikaika i ko ʻoukou naʻau; no ka mea, ua kokoke mai ka hiki ʻana mai o ka Haku. —**Iakobo 5:7-8**

The LORD is good to those who wait for Him,
To the person who seeks Him.
It is good that he waits silently
For the salvation of the LORD. —**Lamentations 3:25-26**

Ua maikaʻi ʻo Iēhova i ka poʻe kakali iā ia,
I ka ʻuhane hoʻi i ʻimi aku iā ia.
He mea maikaʻi ke lana ka manaʻo, no ka hoʻōla ʻia mai e Iēhova, me ka ʻekemu ʻole hoʻi. —**Ke Kanikau 3:25-26**

The Lord is not slow about His promise, as some count slowness, but is patient toward you, not wishing for any to perish but for all to come to repentance. —**2 Peter 3:9**

ʻAʻole e hoʻokaʻulua ka Haku ma ka mea āna i ʻōlelo mai ai, e like me kā kekahi poʻe i manaʻo mai ai i ka lohi; akā, ua ahonui mai ʻo ia iā kākou; ʻaʻole makemake ʻo ia e make kekahi; akā, e hoʻi mai nā kānaka a pau i ka mihi. —**Petero II 3:9**

Those who wait for the LORD, they will inherit the land. —**Psalm 37:9**

ʻO ka poʻe manaʻolana iā Iēhova, e loaʻa iā lākou ka honua. —**Halelū 37:9**

Because you have kept the word of My perseverance, I also will keep you from the hour of testing, that *hour* which is about to come upon the whole world, to test those who dwell on the earth. —**Revelation 3:10**

ʻNo ka mea, ua mālama ʻoe i ka ʻōlelo o koʻu ahonui, naʻu nō hoʻi e mālama aku iā ʻoe i ka hora o ka hoʻowalewale, i kokoke nō e hiki mai ma luna o ko ke ao nei a pau, e hoʻāʻo i ka poʻe e noho lā ma ka honua.
—Hōʻike ʻAna 3:10

Peace • Malu • Maluhia Kuikahi

"These things I have spoken to you, so that in Me you may have peace." **—John 16:33**

"Ua ʻōlelo aku au iā ʻoukou i kēia mau mea, i loaʻa ai iā ʻoukou ka maluhia i loko oʻu." **—Ioane 16:33**

"Peace I leave with you; My peace I give to you; not as the world gives do I give to you. Do not let your heart be troubled, nor let it be fearful." **—John 14:27**

"He aloha kaʻu e waiho aku ai iā ʻoukou, ʻo kuʻu aloha kaʻu e hāʻawi aku ai iā ʻoukou; ʻaʻole like me ka hāʻawi ʻana o ko ke ao nei, kaʻu hāʻawi ʻana aku iā ʻoukou. Mai hoʻokaumaha ʻia ko ʻoukou naʻau, a mai makaʻu hoʻi." **—Ioane 14:27**

"Blessed are the peacemakers, for they shall be called sons of God." **—Matthew 5:9**

"Pōmaikaʻi ka poʻe ʻuao; no ka mea, e ʻī ʻia lākou he poʻe keiki na ke Akua." **—Mataio 5:9**

For God is not *a God* of confusion but of peace, as in all the churches of the saints. —**1 Corinthians 14:33**

ʻAʻole na ke Akua mai ka uluāoʻa, ʻo ke kuʻikahi nō kāna, a pēlā nō ma nā hālāwai haipule a pau. —**Korineto I 14:33**

Pursue peace with all men, and the sanctification without which no one will see the Lord. —**Hebrews 12:14**

E hahai ma ke kuʻikahi me nā kānaka a pau, a ma ka hemolele hoʻi, ʻaʻohe kanaka i nele ia mea e ʻike aku i ka Haku. —**Hebera 12:14**

Now may the God of hope fill you with all joy and peace in believing, so that you will abound in hope by the power of the Holy Spirit. —**Romans 15:13**

Na ke Akua nona mai ka manaʻolana e hoʻopiha iā ʻoukou me ka ʻoliʻoli, a me ka malu i ka manaʻoʻiʻo ʻana, i nui ai hoʻi ko ʻoukou manaʻolana ʻana ma ka mana o ka ʻUhane Hemolele. —**Roma 15:13**

For the mind set on the flesh is death, but the mind set on the Spirit is life and peace. —**Romans 8:6**

No ka mea, ʻo ka manaʻo ma ke kino, he make ia; akā, ʻo ka manaʻo ma ka ʻUhane, he ola ia, a me ka pōmaikaʻi. —**Roma 8:6**

And the seed whose fruit is righteousness is sown in peace by those who make peace. —**James 3:18**

A ʻo ka hua o ka pono ua lūlū ʻia me ke kuʻikahi e ka poʻe e hana ana ma ke kuʻikahi. —**Iakobo 3:18**

"For you will go out with joy
And be led forth with peace;
The mountains and the hills will break forth into shouts of joy before you,
And all the trees of the field will clap *their* hands."
—**Isaiah 55:12**

"No ka mea, e puka aku auaneʻi ʻoukou me ka ʻoliʻoli,
A e alakaʻi ʻia aku ʻoukou me ka malu;
E hoʻokani i ke ʻoli nā kuahiwi, a me nā mauna i mua o ʻoukou,
A e paʻipaʻi lima hoʻi nā lāʻau a pau o ke kula."—**ʻIsaia 55:12**

Perseverance • Ahonui
Hoʻomanawanui • Hoʻomau

Consider it all joy, my brethren, when you encounter various trials, knowing that the testing of your faith produces endurance. —**James 1:2-3**

E nā hoahānau oʻu, e manaʻo ʻoukou, he mea ʻoliʻoli wale nō, ke loʻohia ʻoukou e kēlā mea kēia mea e hoʻāʻo mai ai; ua ʻike nō hoʻi ʻoukou, ʻo ka hoʻāʻo ʻana mai i ko ʻoukou manaʻoʻiʻo, ʻo ia ka mea e māhuahua ai ke ahonui. —**Iakobo 1:2-4**

Yet those who wait for the LORD
Will gain new strength;
They will mount up *with* wings like eagles,
They will run and not get tired,
They will walk and not become weary. —**Isaiah 40:31**

Akā, ʻo ka poʻe hilinaʻi aku iā Iēhova, e ulu hou nō ko lākou ikaika;
E piʻi ʻēheu aku nō lākou i luna, e like me nā ʻaito;
E holo nō lākou, ʻaʻole hoʻi e māloʻeloʻe,
E hele mua nō lākou, ʻaʻole hoʻi e maʻule. —**ʻIsaia 40:31**

And not only this, but we also exult in our tribulations, knowing that tribulation brings about perseverance; and perseverance, proven character; and proven character, hope. —**Romans 5:3-4**

ʻAʻole ia wale nō, ke hauʻoli nei nō hoʻi kākou i nā pōpilikia; ke ʻike nei, e hana ana ka pōpilikia i ke ahonui; a ʻo ke ahonui i ka hoʻāʻo ʻana; a ʻo ka hoʻāʻo ʻana i ka manaʻolana. —**Roma 5:3-4**

I have fought the good fight, I have finished the course, I have kept the faith. —**2 Timothy 4:7**

Ua paio aku au i ka paio maikaʻi, ua hoʻopau aʻe nei au i ka holo ʻana, ua hoʻopaʻa nō hoʻi au i ka manaʻoʻiʻo.
—**Timoteo II 4:7**

My son, do not forget my teaching,
But let your heart keep my commandments;
For length of days and years of life
And peace they will add to you. —**Proverbs 3:1-2**

E kuʻu keiki, mai haʻalele ʻoe i koʻu kānāwai,
E waiho hoʻi i kaʻu mau kauoha ma kou naʻau.
No ka mea, ʻo ia ka mea e nui ai nā lā a me nā makahiki o kou ola ʻana,
A ʻo ka malu hoʻi e hāʻawi ʻia iā ʻoe. —**Na Solomona 3:1-2**

Let us not lose heart in doing good, for in due time we will reap if we do not grow weary. —**Galatians 6:9**

Mai hoʻopalaleha kākou i ka hana maikaʻi; no ka mea, i ka wā pono e ʻohi auaneʻi kākou, ke hoʻonāwaliwali ʻole kākou. —**Galatia 6:9**

For consider Him who has endured such hostility by sinners against Himself, so that you will not grow weary and lose heart. —**Hebrews 12:3**

E hoʻomanaʻo hoʻi ʻoukou i ka Mea i hoʻomanawanui i ke kūʻē ʻana mai o ka poʻe i hana hewa iā ia, o nāwaliwali ko ʻoukou manaʻo a maʻule hoʻi ʻoukou.
—**Hebera 12:3**

I know how to get along with humble means, and I also know how to live in prosperity; in any and every circumstance I have learned the secret of being filled and going hungry, both of having abundance and suffering need. I can do all things through Him who strengthens me. —**Philippians 4:12-13**

Ua ʻike hoʻi au i ka noho ʻilihune, a me ka noho lako; i nā wahi a pau, a i nā mea a pau, ua aʻo ʻia maila au, e noho māʻona a e noho pōloli, e noho lako a e noho nele. E hiki nō iaʻu nā mea a pau, ke kōkua mai ʻo Kristo iaʻu.
—**Pilipi 4:12-13**

Praise • Hoolea • Halelu
Mahalo • Hoʻomaikaʻi
Hoʻolanilani • Hoʻonani

My mouth is filled with Your praise
And with Your glory all day long. —**Psalm 71:8**

E piha koʻu waha i ka hoʻoleʻa nou,
A me kou nani a pō ka lā. —**Halelū 71:8**

Praise Him, sun and moon;
Praise Him, all stars of light!
Praise Him, highest heavens,
And the waters that are above the heavens!
Let them praise the name of the LORD,
For He commanded and they were created. —**Psalm 148:3-5**

E halelū aku iā ia, e ka lā, a me ka mahina;
E halelū aku iā ia, e nā hōkū mālamalama a pau!
E halelū aku iā ia, e ka lani o nā lani,
E ʻoukou hoʻi, nā wai ma luna o ka lani!
E halelū aku lākou iā Iēhova;
No ka mea, kauoha maila ia, a hana ʻia ihola lākou.
—**Halelū 148:3-5**

Shout joyfully to the LORD, all the earth;
Break forth and sing for joy and sing praises.—**Psalm 98:4**

E kāhea ʻoliʻoli aku iā Iēhova, e ka honua a pau;
E hoʻōho aku ʻoukou, a e hauʻoli, a me ka hoʻoleʻa aku hoʻi.—**Halelū 98:4**

Therefore you will joyously draw water
From the springs of salvation.
And in that day you will say,
"Give thanks to the LORD, call on His name.
Make known His deeds among the peoples;
Make *them* remember that His name is exalted."—**Isaiah 12:3-5**

E huki nō ʻoukou i ka wai me ka ʻoliʻoli,
Mai loko mai o nā pūnāwai ola.
A i kēlā lā, e ʻōlelo ana nō ʻoukou,
"E hoʻoleʻa iā Iēhova,
E hoʻokaulana i kona inoa,
E hōʻike aku i waena o nā kānaka, i kāna mau hana,
E hoʻomanaʻo aku; no ka mea, ua hāpai ʻia kona inoa."
—**ʻIsaia 12:3-5**

Let heaven and earth praise Him,
The seas and everything that moves in them.—**Psalm 69:34**

E hoʻomaikaʻi ka lani a me ka honua iā ia;
ʻO nā kai, a me nā mea a pau e holo ana ma loko o laila.
—**Halelū 69:34**

Let the word of Christ richly dwell within you, with all wisdom teaching and admonishing one another with psalms *and* hymns *and* spiritual songs, singing with thankfulness in your hearts to God. —**Colossians 3:16**

A e noho lako mai ka ʻōlelo a Kristo i loko o ʻoukou, me ka naʻauao loa; e aʻo ana a e hoʻonaʻauao ana hoʻi kekahi i kekahi i nā halelū, a me nā hīmeni, a me nā mele ma ka ʻUhane, e ʻoli ana i ka Haku me ka maikaʻi i loko o ko ʻoukou naʻau. —**Kolosa 3:16**

Prayer • Pule

Therefore, confess your sins to one another, and pray for one another so that you may be healed. The effective prayer of a righteous man can accomplish much.
—James 5:16

E ha'i aku i ko 'oukou mau hewa kekahi i kekahi, a e pule ho'i kekahi no kekahi, i pohala ai 'oukou. 'O ka pule ikaika a ke kanaka pono e lanakila nui ia.
—Iakobo 5:16

Rejoice always;
pray without ceasing. **—1 Thessalonians 5:16-17**

E hau'oli mau loa.
E pule ho'ōki 'ole. **—Tesalonike I 5:16-17**

Rejoicing in hope, persevering in tribulation, devoted to prayer. **—Romans 12:12**

E hau'oli nō ka mana'olana; e ho'omanawanui i ka pōpilikia; e ho'omau ana ma ka pule. **—Roma 12:12**

In the same way the Spirit also helps our weakness; for we do not know how to pray as we should, but the Spirit Himself intercedes for *us* with groanings too deep for words. —**Romans 8:26**

A ke kōkua mai nei nō hoʻi ka ʻUhane i ko kākou nāwaliwali; no ka mea, ʻaʻole kākou i ʻike i kā kākou mea e pule pono aku ai; akā, ua nonoi aku ka ʻUhane no kākou me nā uē ʻana ʻaʻole e hiki ke haʻi ʻia aʻe. —**Roma 8:26**

"Therefore I say to you, all things for which you pray and ask, believe that you have received them, and they will be *granted* you." —**Mark 11:24**

"No ia mea lā, ke ʻōlelo aku nei au iā ʻoukou, ʻo nā mea a pau a ʻoukou e noi aku ai ma kā ʻoukou pule ʻana, e manaʻoʻiʻo ʻoukou i ka loaʻa ʻana, a laila e loaʻa ʻiʻo aku nō iā ʻoukou ia." —**Mareko 11:24**

From *my* distress I called upon the LORD;
The LORD answered me *and set me* in a large place.
—**Psalm 118:5**

Ma loko o ka pilikia, kāhea aku au iā Iēhova;
A ʻae mai ʻo Iēhova iaʻu ma kahi ākea. —**Halelū 118:5**

"So I say to you, ask, and it will be given to you; seek, and you will find; knock, and it will be opened to you."
—Luke 11:9

"Ke ʻī aku nei hoʻi au iā ʻoukou, e noi, a e hāʻawi ʻia iā ʻoukou; e ʻimi, a e loaʻa iā ʻoukou; e kīkēkē, a e wehe ʻia iā ʻoukou." **—Luka 11:9**

Pride • Haʻaheo • Kei

For by grace you have been saved through faith; and that not of yourselves, *it is* the gift of God; not as a result of works, so that no one may boast. —**Ephesians 2:8-9**

No ka mea, e hoʻōla ʻia ʻoukou i ka lokomaikaʻi ma ka manaʻoʻiʻo; ʻaʻole hoʻi no ʻoukou iho kēia; he mea hāʻawi ʻia mai ia e ke Akua; ʻaʻole no nā hana ʻana, o kaena auaneʻi kekahi. —**ʻEpeso 2:8-9**

All of you, clothe yourselves with humility toward one another, for GOD IS OPPOSED TO THE PROUD, BUT GIVES GRACE TO THE HUMBLE. —**1 Peter 5:5**

ʻO ʻoukou hoʻi a pau, e noho pono ʻoukou, kekahi ma lalo iho o kekahi, a e hoʻouhi ʻia ʻoukou i ka manaʻo hoʻohaʻahaʻa; no ka mea, UA KŪʻĒ KE AKUA I KA POʻE HOʻOKIʻEKIʻE; AKĀ, KE LOKOMAIKAʻI NEI ʻO IA i ka poʻe hoʻohaʻahaʻa. —**Petero I 5:5**

When pride comes, then comes dishonor,
But with the humble is wisdom. **—Proverbs 11:2**

A hiki mai ka ha‘aheo, a laila hiki mai ka hilahila;
Me ka po‘e na‘au ha‘aha‘a ho‘i ka na‘auao. **—Na Solomona 11:2**

For through the grace given to me I say to everyone among you not to think more highly of himself than he ought to think; but to think so as to have sound judgment, as God has allotted to each a measure of faith. **—Romans 12:3**

No ka mea, ma ka ha‘awina i hā‘awi ‘ia mai ia‘u, ke ‘ōlelo aku nei au i kēlā mea i kēia mea i waena o ‘oukou, mai mana‘o mahalo iho ‘o ia iā ia iho a pono ‘ole ka mana‘o; akā, e mana‘o ho‘oha‘aha‘a, e like me ka ha‘awina o ka mana‘o‘i‘o a ke Akua i hā‘awi mai ai i kēlā mea a i kēia mea. **—Roma 12:3**

For if anyone thinks he is something when he is nothing, he deceives himself. **—Galatians 6:3**

No ka mea, inā paha e mana‘o ana kekahi iā ia iho he mea nui ‘o ia, ‘a‘ole kā ho‘i, inā ua ho‘opunipuni ‘o ia iā ia iho. **—Galatia 6:3**

Be of the same mind toward one another; do not be haughty in mind, but associate with the lowly. Do not be wise in your own estimation. —**Romans 12:16**

I hoʻokahi ko ʻoukou manaʻo ko kekahi me ko kekahi. Mai manaʻo aku i nā mea kiʻekiʻe; akā, e alakaʻi ʻia e nā mea haʻahaʻa. Mai manaʻo iho iā ʻoukou iho, ua akamai.
—**Roma 12:16**

Let another praise you, and not your own mouth;
A stranger, and not your own lips. —**Proverbs 27:2**

Na ka mea ʻē e hoʻomaikaʻi mai iā ʻoe, ʻaʻole na kou waha iho;
Na ka malihini hoʻi, ʻaʻole na kou mau lehelehe iho.
—**Na Solomona 27:2**

"Let not a wise man boast of his wisdom, and let not the mighty man boast of his might, let not a rich man boast of his riches." —**Jeremiah 9:23**

Ke ʻī mai nei ʻo Iēhova penei, "Mai kaena wale ka mea akamai i kona akamai ʻana, mai kaena wale hoʻi ka mea ikaika i kona ikaika ʻana, a mai kaena ka mea waiwai i kona waiwai ʻana." —**Ieremia 9:23**

Purpose in Life
Ke kumu i ke ola

Many plans are in a man's heart,
But the counsel of the LORD will stand. —**Proverbs 19:21**

Nui nā manaʻo ma loko o ka naʻau o ke kanaka,
Akā, ʻo ka manaʻo o Iēhova, ʻo ia ke kūpaʻa.
—**Na Solomona 19:21**

'For I know the plans that I have for you,' declares the LORD, 'plans for welfare and not for calamity to give you a future and a hope.' —**Jeremiah 29:11**

ʻNo ka mea, ua ʻike nō wau i nā manaʻo aʻu e manaʻo nei iā oukou,' wahi a Iēhova, ʻhe mau manaʻo no ka hoʻomalu, ʻaʻole no ke ʻāhewa, e hāʻawi iā ʻoukou i hope maikaʻi, a me ka hoʻolana.' —**Ieremia 29:11**

And make straight paths for your feet, so that *the limb* which is lame may not be put out of joint, but rather be healed. —**Hebrews 12:13**

A e hoʻopololei i nā alanui no ko ʻoukou mau wāwae, i ʻole ai e ʻōkupe aʻe ka mea ʻoʻopa; e aho hoʻi e hoʻōla ʻia ia. —**Hebera 12:13**

And we know that God causes all things to work together for good to those who love God, to those who are called according to *His* purpose. **—Romans 8:28**

Ua ʻike nō hoʻi kākou, e kōkua pū ana nā mea a pau e pono ai ka poʻe aloha i ke Akua, ka poʻe i koho ʻia mai ma muli o kona manaʻo. **—Roma 8:28**

"Go therefore and make disciples of all the nations, baptizing them in the name of the Father and the Son and the Holy Spirit." **—Matthew 28:19**

"E hele aʻe ʻoukou e hoʻohaumāna aku i nā lāhui kanaka a pau, e bapetizo ana iā lākou i loko o ka inoa o ka Makua, a ʻo ke Keiki, a ʻo ka ʻUhane Hemolele." **—Mataio 28:19**

"Let your light shine before men in such a way that they may see your good works, and glorify your Father who is in heaven." **—Matthew 5:16**

"Pēlā ʻoukou e hoʻākāka aku ai i ko ʻoukou mālamalama i mua o nā kānaka, i ʻike mai ai lākou i kā ʻoukou hana maikaʻi ʻana, a i hoʻonani aku hoʻi lākou i ko ʻoukou Makua i ka lani." **—Mataio 5:16**

For we are His workmanship, created in Christ Jesus for good works, which God prepared beforehand so that we would walk in them. —**Ephesians 2:10**

No ka mea, ʻo kākou kāna hana i hana ʻia ma o Kristo Iesū lā, no nā hana maikaʻi, a ke Akua i hoʻomākaukau ʻē mai ai, i haele kākou ma laila. —**ʻEpeso 2:10**

"But, indeed, for this reason I have allowed you to remain, in order to show you My power and in order to proclaim My name through all the earth." —**Exodus 9:16**

"Akā, no kēia mea, i hoʻokū aʻe au iā ʻoe, i mea e hōʻike aku ai au i koʻu mana ma ou lā, a i kaulana aku ai koʻu inoa ma ka honua a pau." —**Puka ʻAna 9:16**

For not one of us lives for himself, and not one dies for himself; for if we live, we live for the Lord, or if we die, we die for the Lord; therefore whether we live or die, we are the Lord's. —**Romans 14:7-8**

No ka mea, ʻaʻohe mea o kākou e ola ana nona iho; ʻaʻole hoʻi mea e make nona iho. No ka mea, inā e ola ana kākou, no ka Haku ko kākou ola nei; a inā e make ana kākou, no ka Haku ko kākou make ʻana. No laila, i ko kākou ola ʻana, a me ko kākou make ʻana, no ka Haku kākou. —**Roma 14:7-8**

"'YOU SHALL LOVE THE LORD YOUR GOD WITH ALL YOUR HEART, AND WITH ALL YOUR SOUL, AND WITH ALL YOUR MIND.' This is the great and foremost commandment. The second is like it, 'YOU SHALL LOVE YOUR NEIGHBOR AS YOURSELF.'" **—Matthew 22:37-39**

"'E ALOHA AKU 'OE IĀ IĒHOVA I KOU AKUA ME KOU NA'AU A PAU, A ME KOU 'UHANE A PAU, A ME KOU MANA'O A PAU.' 'O ka mua kēia a me ke kauoha nui. Ua like ho'i ka lua me ia, 'E ALOHA AKU 'OE I KOU HOALAUNA ME 'OE IĀ 'OE IHO.'" **—Mataio 22:37-39**

Redemption • Uku pāna'i

"Do not fear, for I have redeemed you;
I have called you by name; you are Mine!" —**Isaiah 43:1**

"Mai maka'u; no ka mea, ua ho'ōla au iā 'oe;
Ua hea aku au iā 'oe ma ka inoa; no'u nō 'oe." —**'Isaia 43:1**

In Him we have redemption through His blood, the forgiveness of our trespasses, according to the riches of His grace. —**Ephesians 1:7**

Nona mai ke ola iā kākou ma kona koko, ke kala 'ana o nā hala, e like me ka lako o kona lokomaika'i. —**'Epeso 1:7**

Therefore we have been buried with Him through baptism into death, so that as Christ was raised from the dead through the glory of the Father, so we too might walk in newness of life. —**Romans 6:4**

No laila, ua kanu pū 'ia kākou me ia, ma ka bapetizo 'ia i loko o ka make; a me Kristo ho'i i ho'āla 'ia ai mai waena mai o ka po'e make ma ka nani o ka Makua, pēlā ho'i kākou e pono ai ke hele ma ke ola hou. —**Roma 6:4**

"Straighten up and lift up your heads, because your redemption is drawing near." **—Luke 21:28**

"A laila e nānā aʻe ʻoukou e ea aʻe hoʻi i ko ʻoukou mau poʻo; no ka mea, ua kokoke mai ko ʻoukou ola."
—Luka 21:28

For this reason He is the mediator of a new covenant, so that, since a death has taken place for the redemption of the transgressions that were *committed* under the first covenant, those who have been called may receive the promise of the eternal inheritance. **—Hebrews 9:15**

No ia mea, ua lilo ʻo ia i ʻuao no ka berita hou, a i ka lilo ʻana o kona make ʻana i uku hoʻōla no nā hewa i hana ʻia ma ka berita mua, e hiki ai i ka poʻe i kāhea ʻia ke loaʻa ka hoʻoilina mau i haʻi mua ʻia mai. **—Hebera 9:15**

"I have wiped out your transgressions like a thick cloud
And your sins like a heavy mist.
Return to Me, for I have redeemed you." **—Isaiah 44:22**

"E hoʻopau nō wau i kou hewa e like me ke ao ʻeleʻele,
A me kou hala hoʻi, me he ʻohu lā;
E hoʻi mai ʻoe iaʻu; no ka mea, ua hoʻōla pānaʻi aku au iā ʻoe." **—ʻIsaia 44:22**

Renewal • Hana hou
Hoʻomau hou

Therefore we do not lose heart, but though our outer man is decaying, yet our inner man is being renewed day by day. —**2 Corinthians 4:16**

No ia mea, ʻaʻole o mākou manakā; akā, inā paha ua nāwaliwali iho ko mākou kino ma waho, ua hoʻoikaika mau ʻia nō naʻe ko loko, i kēlā lā i kēia lā. —**Korineto II 4:16**

Put on the new self, which in *the likeness of* God has been created in righteousness and holiness of the truth. —**Ephesians 4:24**

E hōʻaʻahu iho hoʻi ʻoukou i ke kanaka hou, i hana ʻia ma muli o ke Akua ma ka pono a me ka hemolele ʻiʻo. —**ʻEpeso 4:24**

Create in me a clean heart, O God,
And renew a steadfast spirit within me. —**Psalm 51:10**

E hāʻawi mai i naʻau maʻemaʻe noʻu, e ke Akua;
E hana hou mai hoʻi i ʻuhane kūpono i loko oʻu.
—**Halelū 51:10**

Therefore if anyone is in Christ, *he is* a new creature; the old things passed away; behold, new things have come.
—2 Corinthians 5:17

No ia mea, inā i loko o Kristo kekahi kanaka, he mea hou ʻo ia; ua hala akula nā mea kahiko; aia hoʻi, ua ʻano hou aʻela nā mea a pau. **—Korineto II 5:17**

"I have been crucified with Christ; and it is no longer I who live, but Christ lives in me; and the *life* which I now live in the flesh I live by faith in the Son of God, who loved me and gave Himself up for me." **—Galatians 2:20**

"Ua kau pū ʻia aku au me Kristo ma ke keʻa; ua ola nō hoʻi au, ʻaʻole naʻe ʻo wau iho; akā, e ola ana ʻo Kristo i loko oʻu; a ʻo ke ola e ola nei au i loko o ke kino, e ola ana au ma ka manaʻoʻiʻo aku i ke Keiki a ke Akua, nāna au i aloha mai, a hāʻawi maila iā ia iho noʻu." **—Galatia 2:20**

Let us draw near with a sincere heart in full assurance of faith, having our hearts sprinkled *clean* from an evil conscience and our bodies washed with pure water.
—Hebrews 10:22

E hoʻokokoke kākou me ka maopopo loa o ka manaʻoʻiʻo, a me ka naʻau ʻoiaʻiʻo, me ka huikala ʻia ʻo ko kākou naʻau kaumaha i ka hewa, a me ka holoi ʻia ʻo ko kākou kino me ka wai maʻemaʻe. **—Hebera 10:22**

"And I will give them one heart, and put a new spirit within them. And I will take the heart of stone out of their flesh and give them a heart of flesh." **—Ezekiel 11:19**

"A e hā'awi aku au iā lākou i ka na'au ho'okahi, e hā'awi ho'i au i 'uhane hou i loko o 'oukou, a e lawe aku au i ka na'au pōhaku mai loko aku o kā lākou 'i'o, a e hā'awi aku au i ka na'au 'i'o iā lākou." **—'Ezeki'ela l 11:19**

Therefore we have been buried with Him through baptism into death, so that as Christ was raised from the dead through the glory of the Father, so we too might walk in newness of life. **—Romans 6:4**

No laila, ua kanu pū 'ia kākou me ia, ma ka bapetizo 'ia i loko o ka make; a me Kristo ho'i i ho'āla 'ia ai mai waena mai o ka po'e make ma ka nani o ka Makua, pēlā ho'i kākou e pono ai ke hele ma ke ola hou. **—Roma 6:4**

Salvation • Ola • Ola mau loa

Who has saved us and called us with a holy calling, not according to our works, but according to His own purpose and grace which was granted us in Christ Jesus from all eternity. —**2 Timothy 1:9**

ʻO ka Mea nāna kākou i hoʻōla, a i wae mai hoʻi me ka wae hoʻāno; ʻaʻole hoʻi ma muli o kā kākou hana ʻana; akā, ma muli nō o kona manaʻo iho a me ka pono i hāʻawi ʻia mai iā kākou i loko o Kristo Iesū ma mua loa aku o kēia ao. —**Timoteo II 1:9**

For the grace of God has appeared, bringing salvation to all men, instructing us to deny ungodliness and worldly desires and to live sensibly, righteously and godly in the present age. —**Titus 2:11-12**

No ka mea, ua ʻikea mai ko ke Akua aloha e ola ai e nā kānaka a pau, e aʻo mai ana iā kākou e pale aku i ka haihaiā, a me nā kuko hewa o kēia ao, a e noho kākou ma ka ʻuhaʻuha ʻole, a ma ka pono, a ma ka haipule i loko o ke ao nei. —**Tito 2:11-12**

My soul *waits* in silence for God only;
From Him is my salvation.
He only is my rock and my salvation,
My stronghold; I shall not be greatly shaken. —**Psalm 62:1-2**

ʻOiaʻiʻo, ke hilinaʻi nei koʻu ʻuhane i ke Akua;
Nona mai nō hoʻi ke ola noʻu.
ʻO ia wale nō koʻu pōhaku a me kuʻu ola;
ʻO ia koʻu wahi e malu ai, ʻaʻole au e nāueue nui.
—**Halelū 62:1-2**

"I am the resurrection and the life; he who believes in Me will live even if he dies, and everyone who lives and believes in Me will never die." —**John 11:25-26**

" ʻO wau nō ke ala hou ʻana, a me ke ola; ʻo ka mea e manaʻoʻiʻo mai iaʻu, inā e make ia, e ola hou auaneʻi ʻo ia. ʻO ka mea e ola ana, a e manaʻoʻiʻo mai iaʻu, ʻaʻole loa ia e make." —**Ioane 11:25-26**

For the law of the Spirit of life in Christ Jesus has set you free from the law of sin and of death. —**Romans 8:2**

No ka mea, na ke kānāwai o ka ʻUhane ola i loko o Kristo Iesū wau i hoʻokuʻu, mai ke kānāwai o ka hewa a me ka make. —**Roma 8:2**

He saved us, not on the basis of deeds which we have done in righteousness, but according to His mercy, by the washing of regeneration and renewing by the Holy Spirit. **—Titus 3:5**

ʻAʻole no nā hana pono a kākou i hana ai; akā, ma kona aloha wale, ua hoʻōla ʻo ia iā kākou, ma ka holoi hoʻohānau hou ʻana, a ma ka hana hou ʻia e ka ʻUhane Hemolele. **—Tito 3:5**

For Christ also died for sins once for all, *the* just for *the* unjust, so that He might bring us to God, having been put to death in the flesh, but made alive in the spirit. **—1 Peter 3:18**

No ka mea, ua make nō hoʻi ʻo Kristo no ka hewa, ʻo ka mea pono no ka poʻe hewa, i alakaʻi ʻo ia iā kākou i ke Akua; ua pepehi ʻia ʻo ia ma ke kino, ua hoʻōla ʻia hoʻi ma ka ʻuhane. **—Petero I 3:18**

Self-Control • Kāohi iho

Set your mind on the things above, not on the things that are on earth. —**Colossians 3:2**

E paulele ʻoukou i nā mea o luna, ʻaʻole i nā mea ma ka honua nei. —**Kolosa 3:2**

Like a city that is broken into *and* without walls
Is a man who has no control over his spirit. —**Proverbs 25:28**

ʻO ke kūlanakauhale hiolo, ʻaʻohe pā,
ʻO ia ke kanaka hoʻomalu ʻole i kona ʻuhane iho.
—**Na Solomona 25:28**

He who restrains his words has knowledge,
And he who has a cool spirit is a man of understanding.
—**Proverbs 17:27**

ʻO ka mea ʻike nui, akahele ʻo ia i ka ʻōlelo;
He ʻuhane noho mālie ko ke kanaka naʻauao.
—**Na Solomona 17:27**

But I discipline my body and make it my slave, so that, after I have preached to others, I myself will not be disqualified. —**1 Corinthians 9:27**

Ke ʻuʻumi nei au i kuʻu kino a lanakila ma luna iho, o lilo paha wau i ke ʻāpono ʻole ʻia, ma hope o kuʻu aʻo ʻana aku iā haʻi. —**Korineto I 9:27**

A fool always loses his temper,
But a wise man holds it back. —**Proverbs 29:11**

Hoʻopuka mai ka mea naʻaupō i kona manaʻo a pau;
Noho mālie hoʻi ka mea naʻauao a ma hope aku.
—**Na Solomona 29:11**

Do not turn to the right nor to the left;
Turn your foot from evil. —**Proverbs 4:27**

Mai huli aʻe ʻoe i ka lima ʻākau ʻaʻole hoʻi i ka lima hema;
E huli naʻe kou wāwae mai ka hewa aku. —**Na Solomona 4:27**

Submit therefore to God. Resist the devil and he will flee from you. —**James 4:7**

No laila, e hoʻolohe ʻoukou i ke Akua; e pale aku hoʻi i ka diabolō, a laila e holo aku ia mai o ʻoukou aku. —**Iakobo 4:7**

"Keep watching and praying that you may not enter into temptation; the spirit is willing, but the flesh is weak."
—Matthew 26:41

"E kia'i 'oukou, e pule ho'i, o lilo 'oukou i ka ho'owalewale 'ia mai; ua 'olu'olu na'e ka na'au; akā, 'o ke kino, ua nāwaliwali ia." **—Mataio 26:41**

Service • Ho'okaua Lawelawe • Hana

Be hospitable to one another without complaint. As each one has received a *special* gift, employ it in serving one another as good stewards of the manifold grace of God.
—1 Peter 4:9-10

E ho'okipa maika'i 'oukou i kekahi i kekahi, me ka 'ōhumu 'ole. E like me ka ha'awina i loa'a mai i kekahi a me kekahi, pēlā e hā'awi aku ai kekahi i kekahi, e like me nā pu'ukū pono o ko ke Akua lokomaika'i 'ano 'ē.
—Petero I 4:9-10

For you were called to freedom, brethren; only *do* not *turn* your freedom into an opportunity for the flesh, but through love serve one another. **—Galatians 5:13**

E nā hoahānau, ua hea 'ia 'oukou ma ka luhi 'ole; mai ho'olilo na'e 'oukou i ua luhi 'ole lā i mea no ke kino; akā, ma ke aloha e mālama aku kekahi i kekahi.
—Galatia 5:13

“For even the Son of Man did not come to be served, but to serve, and to give His life a ransom for many.”
—**Mark 10:45**

“No ka mea, ‘o ke Keiki a ke Kanaka, ‘a‘ole ia i hele mai no ka ho‘okauā ‘ia mai; akā, no ka ho‘okauā aku, a e hā‘awi i kona ola i kumu ho‘ōla no nā mea he nui loa.”
—**Mareko 10:45**

“And if you give yourself to the hungry
And satisfy the desire of the afflicted,
Then your light will rise in darkness
And your gloom *will become* like midday.” —**Isaiah 58:10**

“Inā hū aku kou ‘uhane i ka po‘e pōloli,
A ho‘omā‘ona ho‘i ‘oe i ka ‘uhane o ka po‘e pōpilikia;
A laila, e puka mai nō kou mālamalama ma loko o ka pouli,
A e like auane‘i kou pouli me ke awakea.” —**‘Isaia 58:10**

“If anyone wants to be first, he shall be last of all and servant of all.” —**Mark 9:35**

“Inā e mana‘o kekahi kanaka, e ‘oi ia ma mua, e emi auane‘i ia ma hope o nā mea a pau, a e lilo nō ho‘i i kauā na nā mea a pau.” —**Mareko 9:35**

"If anyone serves Me, he must follow Me; and where I am, there My servant will be also; if anyone serves Me, the Father will honor him." —**John 12:26**

"Inā e hoʻokauā mai kekahi naʻu, e hahai mai ia iaʻu; a ma koʻu wahi e noho ai, ma laila pū nō hoʻi kaʻu kauā; inā e hoʻokauā mai kekahi naʻu, e hoʻomaikaʻi ka Makua iā ia." —**Ioane 12:26**

So then, while we have opportunity, let us do good to all people, and especially to those who are of the household of the faith. —**Galatians 6:10**

No laila, e like me ko kākou manawa maopopo, pēlā e hana maikaʻi aku ai kākou i nā mea a pau, ʻoiaʻiʻo hoʻi i ka poʻe ʻohana manaʻoʻiʻo. —**Galatia 6:10**

Sowing and Reaping
Lū • Lūlū • ʻOhi

Do not be deceived, God is not mocked; for whatever a man sows, this he will also reap. For the one who sows to his own flesh will from the flesh reap corruption, but the one who sows to the Spirit will from the Spirit reap eternal life. —**Galatians 6:7-8**

Mai kuhi hewa ʻoukou, ʻaʻole ke Akua e hoʻomāʻewaʻewa ʻia aku; no ka mea, ʻo kā ke kanaka i lūlū, ʻo kāna hoʻi ia e ʻohi mai. No ia mea, ʻo ka mea e lūlū ma kona kino iho, no ke kino ia e ʻohi auaneʻi i ka make; akā, ʻo ka mea e lūlū ma ka ʻUhane, no ka ʻUhane ia e ʻohi auaneʻi i ke ola mau loa. —**Galatia 6:7-8**

Those who sow in tears shall reap with joyful shouting.
—**Psalm 126:5**

ʻO ka poʻe lūlū me nā waimaka,
E hōʻiliʻili lākou me ka hauʻoli. —**Halelū 126:5**

Sow with a view to righteousness,
Reap in accordance with kindness. **—Hosea 10:12**

E lūlū ʻoukou no ʻoukou iho, ma ka pono,
E ʻohi ʻoukou ma ka lokomaikaʻi. **—Hosea 10:12**

Now this *I say,* he who sows sparingly will also reap sparingly, and he who sows bountifully will also reap bountifully. **—2 Corinthians 9:6**

ʻO kēia hoʻi kaʻu, ʻo ka mea lūlū liʻiliʻi, e hōʻiliʻili liʻiliʻi nō ia; a ʻo ka mea lūlū nui, e hōʻiliʻili nui nō hoʻi ʻo ia.
—Korineto II 9:6

Now He who supplies seed to the sower and bread for food will supply and multiply your seed for sowing and increase the harvest of your righteousness.
—2 Corinthians 9:10

A ʻo ka Mea nāna e hāʻawi mai i ka hua na ka mea lūlū, a me ka ʻai e ʻai ai, e hāʻawi mai nō ia, a e hoʻonui hoʻi i kā ʻoukou hua i lūlū ʻia, me ka hoʻomāhuahua i nā hua o ko ʻoukou pono. **—Korineto II 9:10**

He who sows iniquity will reap vanity,
And the rod of his fury will perish. —**Proverbs 22:8**

ʻO ka mea lūlū aku i ka hewa, e ʻohi ia i ka pōpilikia;
Ua hoʻopau ʻia ka lāʻau hahau o kona huhū.
—**Na Solomona 22:8**

"So every good tree bears good fruit, but the bad tree bears bad fruit.
A good tree cannot produce bad fruit, nor can a bad tree produce good fruit." —**Matthew 7:17-18**

"ʻO ia hoʻi, ʻo nā lāʻau maikaʻi a pau, ua hua mai nō lākou i nā hua maikaʻi; akā, ʻo ka lāʻau ʻino, ua hua mai nō hoʻi ia i nā hua ʻino.
ʻAʻole e hiki i ka lāʻau maikaʻi ke hua mai i ka hua ʻino; ʻaʻole hoʻi e hiki i ka lāʻau ʻino ke hua mai i ka hua maikaʻi." —**Mataio 7:17-18**

Strength • Ikaika

Finally, be strong in the Lord and in the strength of His might. Put on the full armor of God, so that you will be able to stand firm against the schemes of the devil.
—Ephesians 6:10-11

Eia ho'i, e nā hoahānau o'u, i ikaika 'oukou ma ka Haku, a ma ka ikaika o kona mana. E 'a'ahu iho 'oukou i ke kāhiko a pau a ke Akua, i hiki iā 'oukou ke kūpa'a i mua o nā hana ma'alea a ka diabolō. **—'Epeso 6:10-11**

Now we who are strong ought to bear the weaknesses of those without strength and not *just* please ourselves.
—Romans 15:1

He pono nō ho'i no kākou ka po'e ikaika e ho'omanawanui i ka nāwaliwali o ka po'e ikaika 'ole, 'a'ole ho'i e hō'olu'olu iho iā kākou iho. **—Roma 15:1**

He gives strength to the weary,
And to *him who* lacks might He increases power.**—Isaiah 40:29**

Nāna nō i hā'awi i ka ikaika i ka mea i ma'ule;
A 'o ka mea ikaika 'ole, ho'omāhuahua nō ia i ka ikaika.
—'Isaia 40:29

But the Lord stood with me and strengthened me, so that through me the proclamation might be fully accomplished. **—2 Timothy 4:17**

Akā ho‘i, ‘o ka Haku kai kū mai me a‘u; a ua kōkua mai ho‘i ia‘u, i hō‘oia‘i‘o nui ‘ia aku ma o‘u lā ka ha‘i ‘ana aku o kāna ‘ōlelo. **—Timoteo II 4:17**

"For You have girded me with strength for battle;
You have subdued under me those who rose up against me." **—2 Samuel 22:40**

"Ua kāko‘o mai ‘oe ia‘u i ka ikaika e kaua ai;
Ua ho‘okūlou iho ‘oe ma lalo o‘u i ka po‘e i kū‘ē mai ia‘u." **—Samu‘ela II 22:40**

The LORD is my rock and my fortress and my deliverer,
My God, my rock, in whom I take refuge;
My shield and the horn of my salvation, my stronghold.
—Psalm 18:2

‘O Iēhova ko‘u pōhaku, ku‘u pā kaua, a me ko‘u mea e ola ai;
‘O ko‘u Akua, ko‘u ‘o‘ole‘a, a‘u e hilina‘i ai;
‘O ko‘u pākū, ‘o ko‘u hao e ola ai, ‘o ko‘u hale pū kaua ki‘eki‘e. **—Halelū 18:2**

Suffering • ʻEha

For I consider that the sufferings of this present time are not worthy to be compared with the glory that is to be revealed to us. —**Romans 8:18**

Ke manaʻo nei nō hoʻi au, ʻaʻole e pono ke hoʻohālike ʻia ka ʻehaʻeha o kēia noho ʻana me ka nani e hōʻike ʻia mai ana iā kākou ma hope.—**Roma 8:18**

After you have suffered for a little while, the God of all grace, who called you to His eternal glory in Christ, will Himself perfect, confirm, strengthen *and* establish you.
—1 Peter 5:10

Akā, ʻo ke Akua, nāna mai ka lokomaikaʻi a pau, ʻo ka Mea i hea mai ai iā kākou nei i ka nani mau loa, ma o Kristo Iesū lā, ma hope o ko ʻoukou ʻeha pākole ʻana, nāna nō e hoʻolilo iā ʻoukou i hemolele loa, a e hoʻokumu hoʻi, a e hoʻoikaika, a e hoʻokūpaʻa iā ʻoukou. —**Petero I 5:10**

To the degree that you share the sufferings of Christ, keep on rejoicing, so that also at the revelation of His glory you may rejoice with exultation. —**1 Peter 4:13**

Akā, e ʻoliʻoli ʻoukou; no ka mea, he poʻe hoa ʻeha pū ʻoukou me Kristo; i mea e hauʻoli loa ai ʻoukou i ka wā e hōʻike ʻia mai ai kona nani. —**Petero I 4:13**

We *are* afflicted in every way, but not crushed; perplexed, but not despairing; persecuted, but not forsaken; struck down, but not destroyed. —**2 Corinthians 4:8-9**

Ua hoʻokē ʻia mai mākou a puni, ʻaʻole naʻe i pilikia; ua lauwili ʻia mai mākou, ʻaʻole hoʻi i pilihua. Ua hoʻomaʻau ʻia mai mākou, ʻaʻole naʻe i haʻalele ʻia; ua kulaʻina mai mākou, ʻaʻole hoʻi i make. —**Korineto II 4:8-9**

For it is better, if God should will it so, that you suffer for doing what is right rather than for doing what is wrong.
—**1 Peter 3:17**

Inā manaʻo mai ke Akua pēlā, e aho ko ʻoukou ʻeha ʻana no ka hana maikaʻi ʻana, ʻaʻole no ka hana ʻino ʻana.
—**Petero I 3:17**

Many are the afflictions of the righteous,
But the LORD delivers him out of them all. —**Psalm 34:19**

He nui nō ka pilikia ʻana o ka mea pono;
A hoʻākea mai nō hoʻi ʻo Iēhova iā ia, mai ia mea a pau.
—**Halelū 34:19**

For just as the sufferings of Christ are ours in abundance, so also our comfort is abundant through Christ.
—**2 Corinthians 1:5**

No ka mea, me nā hana ʻeha ʻia mai o mākou he nui no Kristo, pēlā hoʻi ko mākou hōʻoluʻolu ʻia mai he nui ma o Kristo lā. —**Korineto II 1:5**

For to you it has been granted for Christ's sake, not only to believe in Him, but also to suffer for His sake.
—**Philippians 1:29**

No ka mea, ua hāʻawi lokomaikaʻi ʻia mai ia iā ʻoukou no Kristo, ʻaʻole ka manaʻoʻiʻo wale aku nō iā ia; akā, ʻo ka hoʻopilikia ʻia mai hoʻi nona. —**Pilipi 1:29**

Tolerance • Mana'o laulā Ho'omanawanui • Ahonui

"He who is without sin among you, let him *be the* first to throw a stone at her." —**John 8:7**

" 'O ka mea hala 'ole o 'oukou, 'o ia mua ke pehi aku iā ia i ka pōhaku." —**Ioane 8:7**

All of you be harmonious, sympathetic, brotherly, kindhearted, and humble in spirit; not returning evil for evil or insult for insult, but giving a blessing instead.
—**1 Peter 3:8-9**

E lōkahi ko 'oukou mana'o a pau, e lokomaika'i kekahi i kekahi; he po'e aloha hoahānau, e menemene ho'i, a e akahai. Mai ho'iho'i aku i ka 'ino no ka 'ino, 'a'ole ho'i ke kūamuamu no ke kūamuamu; e 'oko'a kā 'oukou, 'o ka ho'omaika'i aku. —**Petero I 3:8-9**

"But I say to you, love your enemies and pray for those who persecute you." —**Matthew 5:44**

"Eia hoʻi kaʻu e ʻōlelo aku nei iā ʻoukou, e aloha aku i ko ʻoukou poʻe ʻenemi, e hoʻomaikaʻi aku hoʻi i ka poʻe hōʻino mai iā ʻoukou." —**Mataio 5:44**

Who are you to judge the servant of another? To his own master he stands or falls; and he will stand, for the Lord is able to make him stand. —**Romans 14:4**

ʻO wai ʻoe ka mea e hoʻāhewa ana i kā haʻi kauā? Aia nō i kona haku ponoʻī kona kūpaʻa ʻana, a ʻo kona hāʻule ʻana; a e hoʻokūpaʻa ʻia nō ia; no ka mea, e hiki nō i ke Akua ke hoʻokūpaʻa iā ia. —**Roma 14:4**

"If anyone hears My sayings and does not keep them, I do not judge him; for I did not come to judge the world, but to save the world." —**John 12:47**

"Inā e lohe kekahi i kaʻu ʻōlelo, ʻaʻole hoʻi e manaʻoʻiʻo, ʻaʻole au e hoʻāhewa aku iā ia; no ka mea, ʻaʻole au i hele mai e hoʻāhewa i ko ke ao nei; akā, e hoʻōla i ko ke ao nei." —**Ioane 12:47**

Trust • Hilinaʻi • Paulele

Trust in the LORD with all your heart
And do not lean on your own understanding.
In all your ways acknowledge Him,
And He will make your paths straight. —**Proverbs 3:5-6**

E paulele iā Iēhova me kou naʻau a pau;
Mai hilinaʻi hoʻi ma kou naʻauao iho.
Ma kou ʻaoʻao a pau iā ia nō ʻoe e nānā aku ai,
A nāna nō e hoʻopololei i kou hele ʻana. —**Na Solomona 3:5-6**

"Blessed is the man who trusts in the LORD
And whose trust is the LORD.
For he will be like a tree planted by the water,
That extends its roots by a stream." —**Jeremiah 17:7-8**

"Pōmaikaʻi ke kanaka i hilinaʻi aku iā Iēhova,
A ʻo Iēhova hoʻi kona mea e manaʻolana ai.
E like auaneʻi ia me ka lāʻau i kanu ʻia ma nā wai,
A kupu aʻela kona mau aʻa ma kahi maʻū." —**Ieremia 17:7-8**

"Trust in the LORD forever,
For in GOD the LORD, *we have* an everlasting Rock."
—Isaiah 26:4

"E hilinaʻi aku ʻoukou iā Iēhova a i ka manawa pau ʻole;
No ka mea, ma ka Haku, ma o IĒHOVA lā ka hoʻomalu,
a i ka manawa pau ʻole." **—ʻIsaia 26:4**

It is better to take refuge in the LORD
Than to trust in man. **—Psalm 118:8**

Ua ʻoi aku ka maikaʻi o ka hilinaʻi aku iā Iēhova,
Ma mua o ka manaʻo ʻana i ke kanaka. **—Halelū 118:8**

In You our fathers trusted;
They trusted and You delivered them.
To You they cried out and were delivered;
In You they trusted and were not disappointed.
—Psalm 22:4-5

Ua hilinaʻi aku ko mākou mau mākua iā ʻoe;
Ua manaʻoʻiʻo lākou, a nāu nō lākou i hoʻōla.
Ua kāhea lākou iā ʻoe, a ua hoʻōla ʻia nō hoʻi;
Ua paulele lākou iā ʻoe, ʻaʻole hoʻi lākou i hoka.
—Halelū 22:4-5

If we say that we have fellowship with Him and *yet* walk in the darkness, we lie and do not practice the truth.
—1 John 1:6

Inā e ʻōlelo kākou, ua aloha pū kākou me ia, a hele hoʻi ma ka pouli, ua wahaheʻe kākou, ʻaʻole kākou i hana ma ka ʻoiaʻiʻo. **—Ioane I 1:6**

He will not fear evil tidings;
His heart is steadfast, trusting in the LORD. **—Psalm 112:7**

ʻAʻole ia e makaʻu i ka lono ʻana i nā mea hewa;
Ua ʻonipaʻa kona naʻau, me ka hilinaʻi aku iā Iēhova.
—Halelū 112:7

Understanding • Ike Naau‘ao

A fool does not delight in understanding,
But only in revealing his own mind. —**Proverbs 18:2**

‘A‘ole i hāliu mai ka mea lapuwale i ka ‘ike,
Akā, ma ka hō‘ike ‘ana i kona na‘au. —**Na Solomona 18:2**

The unfolding of Your words gives light;
It gives understanding to the simple. —**Psalm 119:130**

‘O ka wehewehe ‘ana i kāu ‘ōlelo, ‘o ia kai
ho‘omālamalama mai;
Ho‘ona‘auao mai nō ia i ka po‘e hūpō. —**Halelū 119:130**

A plan in the heart of a man is *like* deep water,
But a man of understanding draws it out. —**Proverbs 20:5**

He wai hohonu, ka ‘ōlelo a‘o i loko o ko kānaka na‘au;
Na ke kanaka na‘auao e uhuki a‘e. —**Na Solomona 20:5**

Make your ear attentive to wisdom,
Incline your heart to understanding;
For if you cry for discernment,
Lift your voice for understanding. —**Proverbs 2:2-3**

E hāliu mai kou pepeiao i ka naʻauao,
A e huli kou naʻau i ka ʻike;
Inā paha e hea aku ʻoe i ka ʻike,
A e ō aku kou leo i ka naʻauao. —**Na Solomona 2:2-3**

Now we have received, not the spirit of the world, but the Spirit who is from God, so that we may know the things freely given to us by God. —**1 Corinthians 2:12**

Ua loaʻa hoʻi iā mākou ka ʻUhane, na ke Akua mai, ʻaʻole ka manaʻo o ko ke ao nei; i mea e ʻike ai mākou i nā mea i hāʻawi wale ʻia mai na mākou e ke Akua. —**Korineto I 2:12**

And the peace of God, which surpasses all comprehension, will guard your hearts and your minds in Christ Jesus. —**Philippians 4:7**

A ʻo ka maluhia o ke Akua, ka mea i ʻoi aku i ko ke kanaka manaʻo a pau, e hoʻomalu mai i ko ʻoukou naʻau a me ko ʻoukou manaʻo ma o Kristo Iesū lā. —**Pilipi 4:7**

Discretion will guard you,
Understanding will watch over you,
To deliver you from the way of evil,
From the man who speaks perverse things. —**Proverbs 2:11-12**

Na ke akamai ʻoe e mālama aku,
ʻO ka noʻiau hoʻi ke kiaʻi iā ʻoe,
E hoʻopakele iā ʻoe mai ka ʻaoʻao hewa aku,
Mai ke kanaka hoʻi i wahaheʻe ka ʻōlelo. —**Na Solomona 2:11-12**

The LORD has looked down from heaven upon the sons of men
To see if there are any who understand,
Who seek after God. —**Psalm 14:2**

Ua nānā maila ʻo Iēhova mai ka lani mai i nā keiki a kānaka,
I ʻike mai i kekahi mea naʻauao paha i ʻimi i ke Akua.
—**Halelū 14:2**

And we know that the Son of God has come, and has given us understanding so that we may know Him who is true. —**1 John 5:20**

Ke ʻike nei kākou ua hiki mai nei ke Keiki a ke Akua, a ua hāʻawi mai ia i ka noʻonoʻo iā kākou, i ʻike aku ai kākou i ka mea ʻoiaʻiʻo. —**Ioane I 5:20**

Visit Those in Prison
E kipa iā ka poʻe ma ka hale paʻahao

Remember the prisoners, as though in prison with them, *and* those who are ill-treated, since you yourselves also are in the body. —**Hebrews 13:3**

E hoʻomanaʻo i ka poʻe pio me he mau hoa pio pū lā ʻoukou; a i ka poʻe i hōʻino ʻia hoʻi me he mea lā i loko o ke kino ʻoukou. —**Hebera 13:3**

If we say that we have no sin, we are deceiving ourselves and the truth is not in us. —**1 John 1:8**

Inā e ʻōlelo kākou, "ʻAʻole o kākou hewa," ua kuhi hewa kākou, ʻaʻole he ʻoiaʻiʻo i loko o kākou. —**Ioane I 1:8**

For all have sinned and fall short of the glory of God. —**Romans 3:23**

No ka mea, ua lawehala nā mea a pau, ua nele hoʻi i ka nani o ke Akua. —**Roma 3:23**

"HE HAS SENT ME TO PROCLAIM RELEASE TO THE CAPTIVES,
AND RECOVERY OF SIGHT TO THE BLIND,
TO SET FREE THOSE WHO ARE OPPRESSED." **—Luke 4:18**

"UA HOʻOUNA MAI KĒLĀ IAʻU E LAPAʻAU I KA POʻE ʻEHAʻEHA MA KA NAʻAU,
"A E HAʻI AKU I KA HOʻŌLA ʻANA I KA POʻE PIO,
A ME KA ʻIKE HOU ʻANA I KA POʻE MAKAPŌ,
A E HOʻOKUʻU I KA POʻE I HOʻOLUHI HEWA ʻIA."
—Luka 4:18

'When did we see You sick, or in prison, and come to You?' The King will answer and say to them, 'Truly I say to you, to the extent that you did it to one of these brothers of Mine, *even* the least *of them,* you did it to Me.'
—Matthew 25:39-40

ʻInāhea hoʻi i ʻike ai mākou iā ʻoe, he maʻi, a i loko o ka hale paʻahao, a hele aku mākou i ou lā?'A e ʻōlelo aku ke Aliʻi iā lākou, me ka ʻī aku, 'He ʻoiaʻiʻo kaʻu e ʻōlelo aku nei iā ʻoukou, i kā ʻoukou hana ʻana pēlā i kekahi mea liʻiliʻi loa o kēia poʻe hoahānau oʻu, ua hana mai ʻoukou pēlā iaʻu.' **—Mataio 25:39-40**

Wisdom • Naʻauao • Lae

But if any of you lacks wisdom, let him ask of God, who gives to all generously and without reproach, and it will be given to him. —**James 1:5**

Inā i nele kekahi o ʻoukou i ke akamai, e noi aku ʻo ia i ke Akua i ka Mea i hāʻawi lokomaikaʻi mai no nā mea a pau me ka hōʻino ʻole mai, a e hāʻawi ʻia mai nō ia nona. —**Iakobo 1:5**

He who trusts in his own heart is a fool,
But he who walks wisely will be delivered. —**Proverbs 28:26**

ʻO ka mea paulele i kona naʻau iho, ʻo ia ka mea naʻaupō;
ʻO ka mea hele ma ka naʻauao, e hoʻopakele ʻia ʻo ia.
—**Na Solomona 28:26**

He who walks with wise men will be wise,
But the companion of fools will suffer harm.
—**Proverbs 13:20**

ʻO ka mea hele pū me ka poʻe akamai, akamai nō ia;
ʻO ka hoalauna o ka poʻe lapuwale, e māhuahua ka hewa. —**Na Solomona 13:20**

How much better it is to get wisdom than gold!
And to get understanding is to be chosen above silver.
—Proverbs 16:16

ʻO ka loaʻa ʻana o ke akamai, ua maikaʻi ia ma mua o ke gula!
ʻO ka loaʻa ʻana o ka naʻauao, e pono ke koho ʻia ma mua o ke kālā. **—Na Solomona 16:16**

Therefore be careful how you walk, not as unwise men but as wise, making the most of your time, because the days are evil. **—Ephesians 5:15-16**

No laila, e nānā ʻoukou i hele pono e like me ka poʻe naʻauao, ʻaʻole me ka poʻe naʻaupō, e mālama pono ana i ka manawa; no ka mea, he mau lā ʻino kēia.
—ʻEpeso 5:15-16

Listen to counsel and accept discipline,
That you may be wise the rest of your days. **—Proverbs 19:20**

E hoʻolohe i ka ʻōlelo aʻo, e hāliu hoʻi i ke aʻo ʻia mai,
I naʻauao ʻoe i kou hopena. **—Na Solomona 19:20**

The mind of the prudent acquires knowledge,
And the ear of the wise seeks knowledge. —**Proverbs 18:15**

ʻO ka naʻau o ka mea naʻauao e loaʻa iā ia ka ʻike;
ʻO ka pepeiao hoʻi o ka poʻe akamai, e ʻimi nō i ka naʻauao. —**Na Solomona 18:15**

"Those who have insight will shine brightly like the brightness of the expanse of heaven, and those who lead the many to righteousness, like the stars forever and ever." —**Daniel 12:3**

"ʻO ka poʻe naʻauao e ʻālohilohi auaneʻi lākou me he mālamalama lā ma ke aouli; a ʻo ka poʻe i hoʻohuli i nā lehulehu ma ka pono, e like me nā hōkū ia ao aku ia ao aku." —**Daniʻela 12:3**

Work • Hana • Hahahana

Whatever you do, do your work heartily, as for the Lord rather than for men, knowing that from the Lord you will receive the reward of the inheritance. It is the Lord Christ whom you serve. **—Colossians 3:23-24**

A ʻo kā ʻoukou mea e hana ai a pau, e hana aku nō ia me ka naʻau, me he mea lā no ka Haku, ʻaʻole hoʻi no kānaka. Ua ʻike hoʻi ʻoukou, na ka Haku mai e loaʻa mai ana iā ʻoukou ka uku e ili mai ana; no ka mea, ua hoʻokauā aku ʻoukou na ka Haku na Kristo. **—Kolosa 3:23-24**

Let the favor of the Lord our God be upon us;
And confirm for us the work of our hands;
Yes, confirm the work of our hands. **—Psalm 90:17**

E hoʻonoho mai ma luna o mākou i ke aloha o Iēhova ko mākou Akua;
E hoʻopaʻa mai ʻoe i ka hana a ko mākou lima me mākou;
ʻO ia, ʻo ka hana a ko mākou mau lima, e hoʻopaʻa mai ʻoe ia. **—Halelū 90:17**

But each one must examine his own work, and then he will have *reason for* boasting in regard to himself alone, and not in regard to another. For each one will bear his own load. **—Galatians 6:4-5**

Akā, e hoʻāʻo iho kēlā mea kēia mea i kāna hana ʻana, a laila i loko wale iho nō ona kona kaena ʻana, ʻaʻole i loko o haʻi. No ka mea, e halihali auaneʻi kēlā mea kēia mea i kona luhi iho. **—Galatia 6:4-5**

For I am confident of this very thing, that He who began a good work in you will perfect it until the day of Christ Jesus. **—Philippians 1:6**

Ua maopopo koʻu manaʻo i kēia mea, ʻo ka Mea nāna i hoʻomaka i ka hana maikaʻi i loko o ʻoukou, nāna nō ia e hoʻomau a hiki i ka lā o Iesū Kristo. **—Pilipi 1:6**

"Come to Me, all who are weary and heavy-laden, and I will give you rest." **—Matthew 11:28**

"E hele mai ʻoukou a pau loa i oʻu nei, e ka poʻe luhi a me ka poʻe kaumaha, naʻu ʻoukou e hoʻomaha aku."
—Mataio 11:28

He who tills his land will have plenty of bread,
But he who pursues worthless *things* lacks sense.
—Proverbs 12:11

‘O ka mea i mahi i kona ‘āina, e mā‘ona nō i ka ‘ai;
Akā, ‘o ka ho‘opili mea ‘ai me ka po‘e palaualelo, he lapuwale ia. **—Na Solomona 12:11**

“Let your light shine before men in such a way that they may see your good works, and glorify your Father who is in heaven.” **—Matthew 5:16**

“Pēlā ‘oukou e ho‘ākāka aku ai i ko ‘oukou mālamalama i mua o nā kānaka, i ‘ike mai ai lākou i kā ‘oukou hana maika‘i ‘ana, a i ho‘onani aku ho‘i lākou i ko ‘oukou Makua i ka lani.” **—Mataio 5:16**

For even when we were with you, we used to give you this order: if anyone is not willing to work, then he is not to eat, either. **—2 Thessalonians 3:10**

No ka mea ho‘i, iā mākou i noho ai me ‘oukou, ua ‘ōlelo aku mākou iā ‘oukou pēnēia, “Inā ‘a‘ole e hana kekahi, ‘a‘ole ho‘i ia e pono ke ‘ai.” **—Tesalonike II 3:10**

For God is not unjust so as to forget your work and the love which you have shown toward His name, in having ministered and in still ministering to the saints. And we desire that each one of you show the same diligence so as to realize the full assurance of hope until the end.
—Hebrews 6:10-11

ʻAʻole he loko ʻino ke Akua i poina ai kā ʻoukou hana ʻana, a me ke aloha a ʻoukou i hōʻike aku ai i kona inoa, i ko ʻoukou mālama ʻana i ka poʻe hoʻāno, a me ʻoukou hoʻi e mālama nei. Ke makemake nei nō hoʻi mākou e hōʻike ʻoukou i ua hoʻoikaika mau ʻana lā, i maopopo loa ai ka manaʻolana a hiki i ka hopena. **—Hebera 6:10-11**

Therefore, my beloved brethren, be steadfast, immovable, always abounding in the work of the Lord, knowing that your toil is not *in* vain in the Lord. **—1 Corinthians 15:58**

No ia mea, e nā hoahānau, e kūpaʻa ʻoukou, me ka nāueue ʻole, me ka hoʻomau i kā ʻoukou hana nui ʻana i ka hana a ka Haku; no ka mea, ua ʻike nō ʻoukou, ʻaʻole i makehewa kā ʻoukou hana ʻana ma ka Haku.
—Korineto I 15:58

My Favorite Verses

About Ka Baibala Hemolele

Aloha nui e nā makamaka a me nā hoahānau i loko o Kristo Iesū. Mai Kinohi o ka lani a me ka honua a hiki loa aku i ka Hō'ike 'Ana o ko kākou Haku e ola ai, ka 'Alepa a me ka 'Omega, ka Mua a me ka Hope, ke Kumu a me ka Wēlau, ka Mea e noho ana, ka Mea ma mua ho'i, 'o ka Mea e hiki mai ana nō, 'o ka Mea Mana Loa ia ao aku, ia ao aku. Ke aloha, ke ahonui, a me ka maluhia mai ke Akua mai 'o ko kākou Makua, a me Iesū Kristo ko kākou Haku, aloha nō.

On October 23, 1819, nearly two hundred years ago, New England missionaries set sail for these islands of Hawai'i to preach the Gospel of Jesus Christ. Eight missionary scholars: the Reverends William Richards (Rikeke), Asa Thurston (Kakina), Hiram Bingham (Binamu), Artemas Bishop (Bihopa), Jonathan Green (Kerina), Lorrin Andrews (Aneru), Ephraim Clark (Kalaka), and Sheldon Dibble (Dibela), and their native Hawaiian counterparts, among whom were: John Papa Ii, David Malo, Hoapili kane, Kuakini, Samuel M. Kamakau, Thomas Hopu, and Kelou Kamakau, labored for fifteen years to produce *Ka Palapala Hemolele*, the first Bible in the Hawaiian language, faithfully translated from the original Hebrew (Old Testament) and Greek (New Testament). Shortly after the translation was completed in 1839, work began on a revision which was published under the same title in 1843. A major revision was completed by Rev. Ephraim Clark and his committee and published in 1868 as *Ka Baibala Hemolele* and is the text most readers are familiar with today.

The 2012 edition of *Ka Baibala Hemolele* was the first Hawaiian Bible printed in the modern Hawaiian orthography, which includes 'okina and kahakö. The work was done in accordance with 1) Mary Kawena Pukui and Samuel H. Elbert's *Hawaiian Dictionary*; 2) Rev.

Lorrin Andrews' *A Dictionary of the Hawaiian Language*; 3) Rev. Henry Hodges Parker's revision of the latter, known as the Parker Dictionary; 4) Rev. Harvey Rexford Hitchcock's *An English Hawaiian Dictionary*; 5) Rev. Ephraim Clark's *He Buke Wehewehe Huaʻōlelo Hawaiʻi*; and 6) the 1978 document entitled *ʻAhahui ʻŌlelo Hawaiʻi Spelling Committee Recommendations.* Notably, compound words were either joined together or un-joined, apostrophized contractions were un-contracted, and printing, type-setting and verified spelling errors were corrected.

In 2014 the first bilingual Baibala in the modern orthography was published as *Ke Kauoha Hou me Ka Buke o Nä Halelü a me Nä ʻÖlelo Akamai a Solomona.* In this revision of the New Testament, Psalms, and Proverbs, quotation marks were added to the Hawaiian text for greater clarity and comprehension. Additional changes included the removal of *w* from what are commonly called w-glide words as recommended by the ʻAhahui ʻÖlelo Hawaiʻi; for example: *auwë* (alas!) in previous Baibala was respelled *auë*. Capitalization was added to titles of the Godhead. Therefore: ke Akua Kiʻekiʻe Loa (Most High God), ka Mea Ola (Savior), and ka Mea Mana Loa (the Almighty).

Soon after the 2014 publication, the same revision work was begun on the Old Testament books for this current edition. In addition to the changes mentioned above, the reader will notice that certain sections of the New Testament are in small caps, indicating an Old Testament quotation or reference to an Old Testament passage. Capitals have been added to specific feasts and places; for example: ʻahaʻaina möliaola (Feast of the Passover) is ʻAhaʻaina Möliaola and kai make (Dead Sea) is Kai Make. A determined effort was made to ensure consistency of vocabulary, however if a variant can be found in the Pukui-Elbert *Hawaiian Dictionary* or Andrews' *A Dictionary of the Hawaiian Language* it was left untouched. As always, faithfulness to the original text and accurate scholarship were of utmost importance during the revision process.

Readers are invited to view the ongoing work of Partners In Development Foundation's Hawaiian Bible Project at www.Baibala.org. Here one can access digital images of every page of the 1839 *Ka Palapala Hemolele*, 1868 *Ka Baibala Hemolele*, and 1994 *Ka Baibala*

Hemolele, as well as searchable text of all the Baibala, including text in the modern Hawaiian orthography. The comparison feature on the site allows one to view any or all of the various Hawaiian Bibles side by side to detect differences, and a streaming audio track is provided to aid in correct pronunciation.

After the first printing of *Ka Palapala Hemolele* Hiram Bingham exclaimed, "We are happy. The Hawaiian translation of the Bible, the labor of a number of hands during a period of fifteen years, is a good translation, giving in general a forcible and lucid exhibition of the revealed will of God; a translation highly acceptable to the best native scholars, and one which all evangelical Christians can patronize and use with confidence." This edition of *Ka Baibala Hemolele* remains a good and accurate translation of the Bible, suitable for teaching, preaching, memorization, study and discussion. We humbly commend it to you, to the glory of the One from whom all blessings flow.

I ke Akua akamai hoʻokahi ko kākou Mea e ola ai, nona nō ka hoʻonani ʻia, a me ka hanohano, a me ka ikaika, a me ka mana i kēia wā a i ke ao pau ʻole. ʻĀmene.

Helen Hooipoikamalanai Kaupu Kaowili
Ka Hau o Heremona, Kalihi, Honolulu, Hawaiʻi

About The New American Standard Bible

In the history of English Bible translations, the King James Version is the most prestigious. This time-honored version of 1611, itself a revision of the Bishops' Bible of 1568, became the basis for the English Revised Version appearing in 1881 (New Testament) and 1885 (Old Testament). The American counterpart of this last work was published in 1901 as the American Standard Version. The ASV, a product of both British and American scholarship, has been highly regarded for its scholarship and accuracy. Recognizing the values of the American Standard Version, the Lockman Foundation felt an urgency to preserve these and other lasting values of the ASV by incorporating recent discoveries of Hebrew and Greek textual sources and by rendering it into more current English. Therefore, in 1959 a new translation project was launched, based on the time-honored principles of translation of the ASV and KJV. The result is the New American Standard Bible.

Translation work for the NASB was begun in 1959. In the preparation of this work numerous other translations have been consulted along with the linguistic tools and literature of biblical scholarship. Decisions about English renderings were made by consensus of a team composed of educators and pastors. Subsequently, review and evaluation by other Hebrew and Greek scholars outside the Editorial Board were sought and carefully considered.

The Editorial Board has continued to function since publication of the complete Bible in 1971. This edition of the NASB represents re-

visions and refinements recommended over the last several years as well as thorough research based on modern English usage.

Principles of Translation

MODERN ENGLISH USAGE: The attempt has been made to render the grammar and terminology in contemporary English. When it was felt that the word-for-word literalness was unacceptable to the modern reader, a change was made in the direction of a more current English idiom. In the instances where this has been done, the more literal rendering has been indicated in the notes. There are a few exceptions to this procedure. In particular, frequently "And" is not translated at the beginning of sentences because of differences in style between ancient and modern writing. Punctuation is a relatively modern invention, and ancient writers often linked most of their sentences with "and" or other connectives. Also, the Hebrew idiom "answered and said" is sometimes reduced to "answered" or "said" as demanded by the context. For current English the idiom "it came about that" has not been translated in the New Testament except when a major transition is needed.

HEBREW TEXT: In the present translation the latest edition of Rudolf Kittel's BIBLIA HEBRAICA has been employed together with the most recent light from lexicography, cognate languages, and the Dead Sea Scrolls.

HEBREW TENSES: Consecution of tenses in Hebrew remains a puzzling factor in translation. The translators have been guided by the requirements of a literal translation, the sequence of tenses, and the immediate and broad contexts.

THE PROPER NAME OF GOD IN THE OLD TESTAMENT: In the Scriptures, the name of God is most significant and understandably so. It is inconceivable to think of spiritual matters without a proper designation for the Supreme Deity. Thus the most common name for the Deity is God, a translation of the original Elohim. One of the titles for God is Lord, a translation of Adonai. There is yet another name which is particularly assigned to God as His special or proper name, that is, the four letters YHWH (Exodus 3:14 and Isaiah 42:8). This name has not been pronounced by the Jews because of reverence for the great sacredness of the divine name. Therefore, it has been consistently translated LORD. The only exception to this translation of YHWH is when it occurs in immediate proximity to the word Lord, that is, Adonai. In that case it is regularly translated GOD in order to avoid confusion.

It is known that for many years YHWH as been transliterated as Yahweh, however no complete certainty attaches to this pronunciation.

GREEK TEXT: Consideration was given to the latest available manuscripts with a view to determining the best Greek text. In most instances the 26th edition of Eberhard Nestle's NOVUM TESTAMENTUM GRAECE was followed.

GREEK TENSES: A careful distinction has been made in the treatment of the Greek aorist tense (usually translated as the English past, "He did") and the Greek imperfect tense (normally rendered either as English past progressive, "He was doing"; or, if inceptive, as "He began to do" or "He started to do"; or else if customary past, as "He used to do"). "Began" is italicized if it renders an imperfect tense, in order to distinguish it from the Greek verb for "begin." In some contexts the difference between the Greek imperfect and the English past is conveyed better by the choice of vocabulary or by other words in the context, and in such cases the Greek imperfect may be rendered as a simple past tense (e.g. "had an illness for many years" would be preferable to "was having an illness for many years" and would be understood in the same way).

On the other hand, not all aorists have been rendered as English pasts ("He did"), for some of them are clearly to be rendered as English

perfects ("He has done"), or even as past perfects ("He had done"), judging from the context in which they occur. Such aorists have been rendered as perfects or past perfects in this translation.
As for the distinction between aorist and present imperatives, the translators have usually rendered these imperatives in the customary manner, rather than attempting any such fine distinction as "Begin to do!" (for the aorist imperative), or, "Continually do!" (for the present imperative).

As for sequence of tenses, the translators took care to follow English rules rather than Greek in translating Greek presents, imperfects and aorists. Thus, where English says, "We knew that he was doing," Greek puts it, "We knew that he does"; similarly, "We knew that he had done" is the Greek, "We knew that he did." Likewise, the English, "When he had come, they met him," is represented in Greek by: "When he came, they met him." In all cases a consistent transfer has been made from the Greek tense in the subordinate clause to the appropriate tense in English.

In the rendering of negative questions introduced by the particle *me-* (which always expects the answer "No") the wording has been altered from a mere, "Will he not do this?" to a more accurate, "He will not do this, will he?"

Editorial Board, THE LOCKMAN FOUNDATION

Explanation of General Format

NOTES AND CROSS REFERENCES are not used in this edition.

PERSONAL PRONOUNS are capitalized when pertaining to Deity.

ITALICS are used in the text to indicate words which are not found in the original Hebrew, Aramaic, or Greek but implied by it. Italics are used in the marginal notes to signify alternate readings for the text. Roman text in the marginal alternate readings is the same as italics in the Bible text.

ALL CAPS in the New Testament are used in the text to indicate Old Testament quotations or obvious references to Old Testament texts. Variations of Old Testament wording are found in New Testament citations depending on whether the New Testament writer translated from a Hebrew text, used existing Greek or Aramaic translations, or paraphrased the material. It should be noted that modern rules for the indication of direct quotation were not used in biblical times thus the ancient writer would use exact quotations or references to quotation without specific indication of such. Also see **THE PROPER NAME OF GOD IN THE OLD TESTAMENT** under *Principles of Translation*.

ASTERISKS are used to mark verbs that are historical presents in the Greek which have been translated with an English past tense in order to conform to modern usage. The translators recognized that in some contexts the present tense seems more unexpected and unjustified to the English reader than a past tense would have been. But Greek authors frequently used the present tense for the sake of heightened vividness, thereby transporting their readers in imagination to the actual scene at the time of occurrence. However, the translators felt that it would be wise to change these historical presents to English past tenses.